KRITISCHER BERICHT
DRITTER TEIL DER KLAVIERÜBUNG

JOHANN SEBASTIAN BACH

NEUE AUSGABE
SÄMTLICHER WERKE

SERIE IV · BAND 4

DRITTER TEIL DER KLAVIERÜBUNG

KRITISCHER BERICHT

VON

MANFRED TESSMER

BÄRENREITER KASSEL · BASEL · TOURS · LONDON

1974

Die „Neue Bach-Ausgabe"
wird herausgegeben vom Johann-Sebastian-Bach-Institut Göttingen
und vom Bach-Archiv Leipzig

Gemeinsame Edition: „Bärenreiter Kassel · Basel · Tours · London"
und „VEB Deutscher Verlag für Musik Leipzig"
© 1974 by Bärenreiter-Verlag, Kassel · Alle Rechte vorbehalten
Printed in Germany

INHALT

Am.B.	= Amalienbibliothek (Sammlung der Prinzessin Anna Amalia von Preußen, seit 1788 im Besitz des Joachimsthalschen Gymnasiums und 1914 als Dauerleihgabe in die Königliche Bibliothek Berlin übergeführt)
BB	= Deutsche Staatsbibliothek, früher Preußische Staatsbibliothek (vorher Königliche Bibliothek) Berlin
Bd., Bde.	= Band, Bände
BG	= Gesamtausgabe der Bachgesellschaft, Leipzig 1851–1899
BJ	= *Bach-Jahrbuch*, Leipzig 1904 ff.
Bl., Bll.	= Blatt, Blätter
Blechschmidt	= Eva Renate Blechschmidt, *Die Amalien-Bibliothek*, Berlin 1965
BWV	= Wolfgang Schmieder, *Thematisch-systematisches Verzeichnis der musikalischen Werke von Johann Sebastian Bach. Bach-Werke-Verzeichnis*, Leipzig 1950
c.f.	= cantus firmus
DDT	= Denkmäler Deutscher Tonkunst
Dok II	= Bach-Dokumente, herausgegeben vom Bach-Archiv Leipzig. Supplement zu Johann Sebastian Bach. Neue Ausgabe sämtlicher Werke. Band II: *Fremdschriftliche und gedruckte Dokumente zur Lebensgeschichte Johann Sebastian Bachs 1685–1750. Vorgelegt und erläutert von Werner Neumann und Hans-Joachim Schulze.* Leipzig, Kassel 1969
Go.S.	= Sammlung Manfred Gorke, Bach-Archiv Leipzig
Hs., Hss.	= Handschrift, Handschriften
hs.	= handschriftlich
Jg.	= Jahrgang
Jh.	= Jahrhundert
Krause	= *Handschriften der Werke Johann Sebastian Bachs in der Musikbibliothek der Stadt Leipzig.* Bearbeitet von Peter Krause. Leipzig 1964
LM	= Sammlung Lowell Mason der Yale University New Haven (Connecticut USA)
Mf	= *Die Musikforschung* 1948 ff.
Ms.	= Manuskript
NBA	= *Neue Bach-Ausgabe, herausgegeben vom Johann-Sebastian-Bach-Institut Göttingen und vom Bach-Archiv Leipzig* 1954 ff.
Spitta I, II	= Philipp Spitta, *Johann Sebastian Bach*, Bd. I, Leipzig 1873. Bd. II, Leipzig 1880
TBSt	= Tübinger Bach-Studien, herausgegeben von Walter Gerstenberg Heft 2/3: Paul Kast, *Die Bach-Handschriften der Berliner Staatsbibliothek*, Trossingen 1958 Heft 4/5: Georg von Dadelsen, *Beiträge zur Chronologie der Werke Johann Sebastian Bachs*, Trossingen 1958
WZ	= Wasserzeichen

I. DIE QUELLEN

A. Der in 16 nachweisbaren Exemplaren (A 1–A 16) erhaltene Originaldruck aus dem Jahre 1739.

Das Erscheinungsjahr ist im Titel nicht aufgeführt, jedoch geht aus zwei Briefen von Johann Elias Bach hervor, daß es nur das Jahr 1739 gewesen sein kann.[1] Dieser Vetter Bachs, der von Oktober 1737 bis Oktober 1742 in Johann Sebastians Hause lebte, schreibt am 10. Januar 1739 an den Kantor Johann Wilhelm Koch in Ronneburg[2]:
„. . . *So ist es auch an dem, daß mein Herr Vetter einige Clavier Sachen, die hauptsächlich vor die Herrn Organisten gehören u. überaus gut componirt sind, heraus wird geben, welche wohl auf kommende Oster Meße mögten fertig werden, u. bey die 80 Blatten ausmachen, kan der Herr Bruder etliche Praenumeranten darzu verschaffen, so will er sie gegen Bezahlung* [der Preis fehlt] *annehmen, da alsdenn die andern ein mehreres werden zahlen müßen . . .*"
Und am 28. September 1739 meldet er ihm dann „. . . *daß nunmehro die in Kupffer gestochene Arbeit meines Herrn Vetters fertig u. das exemplar à 3 rthl. bey demselben zubekommen.*"

Die erste Besprechung des fertig vorliegenden Werkes findet sich in dem 1740 erschienenen zweiten Bande von Lorenz Mizlers „Neu eröffneter Musikalischer Bibliothek". Dort heißt es unter den „Merkwürdigen musikalischen Neuigkeiten" auf Seite 156 f.:

Hier hat auch der Herr Capellmeister Bach herausgegeben: Dritter Theil der Clavier Uebung . . . Das Werk bestehet aus 77 Kupfertafeln in Fol. welche sehr sauber gestochen und reinlich auf gutes starkes Papier abgedruckt sind. Der Preiß ist 3 Rthlr. Der Herr Verfasser hat hier ein neues Exempel gegeben, daß er in dieser Gattung der Composition vor vielen andern vortrefflich geübet und glücklich sey. Niemand wird es ihm hierin zuvor thun, und gar wenige werden es ihm nachmachen können. Dieses Werk ist eine kräfftige Widerlegung derer, die sich unterstanden des Herrn Hof Compositeurs Composition zu critisiren."

Inhalt und Einrichtung des Druckes

Der Druck besteht aus 78 bedruckten Seiten: einem Titelblatt und 77 paginierten Seiten Notentext. Der Titel lautet[3]:

[1] In den zeitgenössischen Meßkatalogen, die bisweilen als Datierungsquellen gute Dienste leisten, ist das Werk nicht aufgeführt. Vgl. Albert Göhler, *Verzeichnis der in den Frankfurter und Leipziger Meßkatalogen der Jahre 1564 bis 1759 angezeigten Musikalien*, Leipzig 1902.

[2] Zitiert nach Dok II.

[3] Vgl. Faksimile 1 im Notenband.

Dritter Theil | der | Clavier Übung | bestehend | in | verschiedenen Vorspielen | übedie |.
Catechismus- und andere Gesaenge, | vor die Orgel: | Denen Liebhabern, und be-
sonders denen Kennern | von dergleichen Arbeit, zur Gemüths Ergezung | verfertiget von |
Johann Sebastian Bach, | Koenigl. Pohlnischen, und Churfürstl. Saechs. | Hoff-Compo-
siteur, Capellmeister, und | Directore Chori Musici in Leipzig. | In Verlegung des
Authoris.

Das Blattformat (Querquart) ist in den einzelnen Exemplaren wegen unterschiedlichen Beschnitts nicht einheitlich; es reicht von 22,7 cm × 28,4 cm (A 9) bis 25,6 cm
× 30,5 cm (A 1). Das Format der Druckplatten schwankt zwischen 16 cm × 23 cm
und 16,5 cm × 23,5 cm. Die WZ sind meist zerschnitten und nur teilweise am oberen
oder unteren Rande sichtbar. Das am häufigsten vertretene WZ zeigt einen Lilien-
schild mit angehängter Vierermarke auf Steg, darunter ICV. Die nur teilweise erhaltenen alten Einbände sind nicht einheitlich, was darauf schließen läßt, daß der
Druck ungebunden verkauft wurde. Die Notenseiten enthalten überwiegend vier
Akkoladen zu je zwei Systemen, bei BWV 676, 678, 682 und 686 drei Akkoladen zu
je drei Systemen.
Das saubere und ästhetisch ansprechende Stichbild ist die Arbeit zweier Stecher. Wie
aus der vorstehenden Übersicht hervorgeht, stammen von den insgesamt 77 Notenseiten 43 von Stecher I, 34 von Stecher II.
Georg Kinsky[4] glaubte drei Stecher annehmen zu müssen; wegen der auffallenden
Ähnlichkeit des Notenbildes auf den ersten 10 Seiten (BWV 552, 1) mit Bachs eigenen Notenautographen vermutete er, daß Bach diese Seiten selbst gestochen habe,
die damit das einzige Zeugnis[5] für die oft wiederholte Behauptung seien, daß Bach
selbst am Stich seiner Werke mitgewirkt habe. Im übrigen kommt Kinsky zu der
gleichen oben dargestellten Verteilung.
Ein genauer Vergleich des Druckbildes der Seiten 1–10 mit den übrigen Stecher I
(Kinskys Stecher II) zugewiesenen Seiten ergibt allerdings, daß sie von ein und demselben Stecher stammen. Besonders deutlich wird das bei einem Vergleich mit den
Seiten 40–45. Alle für die Schriftanalyse[6] verwertbaren graphischen Zeichen: Violin-
und Baßschlüssel, Notenformen, besonders der Halben und ihrer Kaudierung, Fähn-
chen, Balken, Akzidenzien und Kustoden ergeben völlige Übereinstimmung. Wenn
also Kinskys Vermutung zuträfe, daß die Seiten 1–10 von Bach selbst gestochen worden sind, dann müßte das auch für die übrigen Stecher I (seinem Stecher II) zugewiesenen Seiten gelten.
In der Tat ist die Ähnlichkeit des Notenbildes mit der Handschrift Bachs verblüf-
fend. Das gilt, wie schon gesagt, besonders für die Seiten 1–10 und 40–45, aber auch

---

[4] *Die Originalausgaben der Werke Johann Sebastian Bachs*, Wien–Leipzig–Zürich 1937, Seite 43 ff.

[5] So auch schon Rust (vgl. BG 25, 1, Seite XIX) und Friedrich Chrysander (vgl. *Abriß einer Ge-schichte des Musikdrucks vom 15. bis zum 19. Jh.* in: Allg. Musikalische Zeitung, XIV. Jg., Leipzig
1879, Seite 227 ff.).

[6] Für die „kritischen" Details der Schriftanalyse vgl. Georg von Dadelsen, TBSt Heft 4/5,
Seite 58 ff.

Seite	Titel	BWV	Takt	Stecher
28		676	99 bis 123, 3. Achtel	II
29		676	123, 4. Achtel bis Schluß	II
29	*Fugetta | super | Allein Gott | in der Höh | sey Ehr., | manualiter*	677	1 bis Schluß	II
30	*Dieß sind | die | heiligen zeben | Geboth | a 2 Clav. | et Ped. | Canto fermo | in | Canone*	678	1 bis 15	I
31		678	16 bis 27	I
32		678	28 bis 39, 5. Viertel	I
33		678	39, 6. Viertel bis 51, 3. Viertel	I
34		678	51, 4. Viertel bis Schluß	I
35	*Fugetta | super | Dieß sind die | heiligen zeben | Geboth. | manua-liter.*	679	1 bis 19	II
36		679	20 bis Schluß	II
37	*Wir gläuben | all an einen | Gott | in Organo | pleno | can [I] Pe-dale.*	680	1 bis 46, 1. Viertel	I
38		680	46, 2. Viertel bis 93	I
39		680	94 bis Schluß	I
39	*Fugetta | super | Wir gläuben | all an einen | Gott | manualit:*	681	1 bis Schluß	I
40	*Vater unser | im Himmelreich | à 2 Clav. | et Pedal | è Canto fer-mo in Canone*	682	1 bis 14	I
41		682	15 bis 28	I
42		682	29 bis 41	I
43		682	42 bis 54	I
44		682	55 bis 71, 1. Viertel	I
45		682	71, 2. Viertel bis 86	I
46		682	87 bis Schluß	I
46	*Vater unser | im Himmelreich | alio modo | manualiter.*	683	1 bis Schluß	I
47	*Christ unser | Herr zum | Iordan kam. | a. 2. Clav. | è Canto fermo | in Pedal.*	684	1 bis 20, 2. Viertel	II
48		684	20, 3. Viertel bis 38, 2. Viertel	I
49		684	38, 3. Viertel bis 58	I
50		684	59 bis Schluß	I

11

für die Seiten 18, 22, 24, 38, 48 und 55. Diese Ähnlichkeiten sind nicht nur im Gesamteindruck des graphischen Bildes zu beobachten, sondern auch an vielen Details.[7] Als Beispiele hierfür seien genannt:

1. Der C-Schlüssel in der sogenannten Hakenform.[8]
2. Der Violinschlüssel, der die für Bachs Handschrift typische Form hat und die unterste Linie des Systems zweimal schneidet.
3. Der Baßschlüssel, der mit dem Ende seiner links auslaufenden Spirale meistens die Akkoladenklammer schneidet.
4. Die Akkoladenklammern, die unten weiter als oben über die Systeme hinausgreifen und in starker Krümmung wieder zurückführen.
5. Das $\mathbf{C}$-Zeichen für den Viervierteltakt (vgl. Seite 1 und 51).
6. Die Viertel- und Achtelpausen.
7. Einzeln stehende Achtel, besonders mit aufwärts gerichteter Kauda (vgl. Seite 24!).
8. Die geschwungenen Ligaturbalken (besonders Seite 40–45).
9. Die Halben (weniger typisch ist hier der Ansatz der abwärts gerichteten Kauda).
10. Die trichterförmigen Abschlußfermaten unter dem Schlußstrich oder unter der letzten Note (vgl. Seite 10, 12, 15).
11. Die Artikulations- und Haltebögen.
12. Die Kustoden.

Wie ist diese ungewöhnliche Übereinstimmung der Stichgraphik mit Bachs Handschrift zu erklären? Kinskys Folgerung, daß nur Bach selbst der Stecher gewesen sein könne, ist wenig überzeugend, ja geradezu unwahrscheinlich, wenn man sich die technischen Voraussetzungen des Notenstichs vergegenwärtigt. Bach hätte nämlich seine ihm unverkennbar eigenen Schriftzüge in Spiegelschrift auf die mit Ätzgrund überzogene Kupferplatte, dazu noch mit ungewohnten Werkzeugen schreiben oder radieren[9] müssen. Es ist schwer vorstellbar, daß dabei die oben aufgeführten cha-

---

[7] Zum Vergleich wurden hauptsächlich folgende chronologisch benachbarte Autographen herangezogen:
Das Londoner Autograph des zweiten Wohltemperierten Klaviers (ca. 1739–1742), London, Britisches Museum, *Add. 35021*; das Autograph der Siebzehn Choräle (ca. 1744 und später), BB *Mus. ms. Bach P 271*; der autographe Stimmensatz zur Kantate 14 (1735) im Besitz der Thomasschule, jetzt Bach-Archiv Leipzig. (Reproduktion in: *Faksimile-Reihe Bachscher Werke und Schriftstücke*, hrsg. vom Bach-Archiv Leipzig, DeutscherVerlag für Musik Leipzig und Bärenreiter-Verlag Kassel und Basel 1955.)

[8] Vgl. Georg von Dadelsen, TBSt Heft 4/5, Seite 86f: hauptsächlich in den dort verzeichneten Formen h und i.

[9] Vergleichende Untersuchungen haben ergeben, daß sämtliche Bachschen Originaldrucke (mit Ausnahme der 1708 im Typendruck hergestellten Stimmenausgabe der Mühlhausener Ratswahlkantate BWV 71) in der sogenannten Radiertechnik entstanden sind. Hierbei wurde die Kupferplatte nicht mechanisch bearbeitet, sondern mit einer dünnen harzartigen Schicht überzogen. Dieser Ätzgrund wurde mit der Radiernadel oder anderen Werkzeugen seitenverkehrt bearbeitet. Die dadurch freigelegten Stellen der Kupferoberfläche wurden dann durch Säureätzung vertieft. Nach Entfernung des Ätzgrundes war die Platte druckfertig. Möglicherweise hat man die Notenköpfe

rakteristischen, schwungvollen Formen seiner Handschrift erhalten geblieben wären.

Sehr viel zwingender ist die Annahme, daß Stecher I in der gleichen Weise vorging, wie sie damals bei der Wiedergabe einer Bildvorlage im Kupferstich üblich war, wenn es auf größtmögliche, faksimilehafte Genauigkeit ankam.

Die nur einseitig beschriebene Vorlage wurde mit Öl getränkt, um sie durchscheinend zu machen. Das von hinten seitenverkehrt sichtbare Bild konnte dann mit Hilfe von Rötel- oder Kohlepapier auf den Ätzgrund durchgepaust und anschließend mit den Radierwerkzeugen nachgezogen werden. Auf diese Weise kann eine getreue Nachbildung der Vorlage erzielt werden.[10] Obwohl beim Notenstich keine graphisch getreue, sondern nur eine orthographisch-korrekte Wiedergabe der Vorlage angestrebt wird, ist das eben beschriebene Verfahren des Durchpausens offenbar üblich und verbreitet gewesen, wie drei einseitig beschriebene autographe Blätter beweisen, die als Stichvorlage für die „Kunst der Fuge" gedient haben: die sogenannten „Abklatschvorlagen" (Beilage zu BB Mus. ms. Bach *P 200*, Inhalt: BWV 1080, 14).[11]

Wenn sich also Stecher I, wie angenommen, ebenfalls dieser Paustechnik bedient hat, dann konnte er, vielleicht aus ästhetischem Vergnügen an Bachs Handschrift, als geübter Handwerker leichter eine faksimilehafte Wirkung erzielen, als es dem in dieser Technik ungeübten Bach möglich gewesen wäre.

Das von Stecher II herrührende Druckbild ist feiner, zierlicher und unpersönlicher. Es hat nicht den handschriftlich bewegten Charakter wie das von Stecher I. Dieser zweite Stecher ist, worauf Kinsky[12] erstmals hingewiesen hat, der Nürnberger Kup-

---

der „schwarzen" Noten mit stempelähnlichen Werkzeugen mechanisch weiter vertieft, um ein sauberes Druckbild zu erreichen. Sämtliche Vertiefungen der Kupferplatte wurden dann mit Druckerschwärze gefüllt. Darübergelegtes angefeuchtetes Papier nimmt unter starkem Druck die Farbe an; das so entstandene Druckbild ist seitenrichtig.

[10] So z. B. beschrieben von Abraham Bosse, *Etzkunst*, Nürnberg 1652 (Deutsche Übersetzung des ursprünglich französischen Werkes), Seite 20 f. und von A. von Bartsch, *Anleitung zur Kupferstichkunde*, Wien 1821, Bd. 1, Seite 3 f.

[11] Rust bestreitet in BG XXV, 1, Seite XVIIIf. energisch, daß diese Blätter zur technischen Vorbereitung des Druckes gedient haben könnten. Seine Argumente sind einerseits die mangelnde Ähnlichkeit zwischen Druck und Handschrift und andererseits die räumlichen Abweichungen zwischen beiden. Nun braucht der Stecher eine solche Ähnlichkeit gar nicht beabsichtigt zu haben, und auch die räumlichen Abweichungen sind erklärlich: Das feucht bedruckte Papier schrumpft beim Trocknen etwas zusammen, so daß Druckplatte und fertig getrockneter Druck nicht mehr deckungsgleich sind. Versuche mit verschiedenen Bütten-Kupferdruckpapieren haben ergeben, daß die Maßveränderung des Papiers genau zu den bei der „Kunst der Fuge" beobachteten Abweichungen zwischen Druck und Vorlage führen. Beim Durchleuchten von originalgroßen Fotokopien wird die völlige räumliche Übereinstimmung aller graphischen Zeichen zweifelsfrei sichtbar, wobei über größere Entfernungen auf dem Notenblatt allerdings die oben beschriebene leichte Maßveränderung durch Trocknung zu berücksichtigen ist.

[12] a. a. O. Seite 44 ff.

ferstecher, Musikverleger und Organist Balthasar Schmid(t) (1705–1749)[13], der für Bach außer seiner Mitwirkung in diesem Werk den gesamten 4. Teil der Klavierübung BWV 988 und die Kanonischen Veränderungen über „Vom Himmel hoch" BWV 769 gestochen hat.[14]

Stecher I war dann wahrscheinlich im Auftrage Schmids in dessen Werkstatt tätig, wodurch sich das Hand-in-Hand-Arbeiten beider Stecher in BWV 675, 676, 684 und 687 zwanglos erklären ließe.[15]

Korrekturen im Originaldruck

Die 16 erhaltenen Exemplare des Originaldrucks, die im nächsten Abschnitt näher beschrieben werden, haben durch mannigfache korrigierende Eingriffe einen unterschiedlichen Quellenwert. Eine Klassifizierung soll helfen, die Frage nach der Authentizität der Korrekturen zu beantworten.

Zweifellos authentisch sind jene Korrekturen, die offenbar zwar nach der Ätzung, aber noch vor dem ersten erhaltenen Druck auf den Platten selbst vorgenommen wurden, möglicherweise auf Veranlassung Bachs nach einem Probeabzug. Ihrer Natur nach sind sie nur vereinzelt, nämlich durch ihre vom normalen Bild abweichende graphische Form erkennbar. Es handelt sich dabei um nachgetragene Akzidenzien (z. B. BWV 669, Takt 21: ♮ vor der 5. Note im Alt), verlängerte Hilfslinien, nachgetragene Artikulationsbögen (in BWV 803) und ähnliche geringfügige Verbesserungen. Da sie in sämtliche erhaltenen Druckexemplare eingegangen sind, werden sie hier nicht als eigene Korrekturschicht behandelt. Mit den auch in diesem Zustande immer noch fehlerhaften Platten ist zunächst eine erste Teilauflage gedruckt worden.

Von den Bemühungen, die noch enthaltenen Fehler vor dem Verkauf der Exemplare zu verbessern, zeugen drei verschiedene Korrekturschichten, hier Korr I, II und III genannt. Das unkorrigierte Bild der 1. Teilauflage hat sich nur in den Exemplaren Nr. 7 und 15 erhalten.

Korr I, die umfangreichste der drei Korrekturschichten, ist nur in Exemplaren der ersten Auflage anzutreffen. Es handelt sich um handschriftliche Korrekturen, die einen großen Teil der Druckfehler beseitigen. Sie erstrecken sich, anders als bei den folgenden Korrekturschichten, von der ersten bis zur letzten Seite. Diese handschriftlichen Eintragungen finden sich vollkommen übereinstimmend in sechs erhaltenen Exemplaren: Nr. 2, 3, 4, 8, 10 und 14.

Korr II besteht in Verbesserungen, die mit dem Stichel auf den Druckplatten selbst vorgenommen wurden. Diese Korrekturen, die also in den Exemplaren einer zweiten

---

[13] Vgl. H. Heussner, *Der Musikdrucker B. Schmid in Nürnberg* in: Mf 1963, Seite 348 ff.

[14] Ergänzend zu den Angaben Kinskys ist Schmids Stich identifizierbar durch die Notiz *Balthas. Schmidt sculp. Nor.* auf der ersten Notenseite der *Ersten Piece* von Joh. Ludwig Krebs (1740). (Nach freundlicher Auskunft von Herrn Walter Emery, London).

[15] Vielleicht könnte durch eine Untersuchung sämtlicher Druckwerke Schmids unser Stecher I identifiziert werden.

Auflage zu finden sind, erfassen nur einen Teil der Druckfehler und beschränken sich auf die ersten 17 Seiten, sind hier aber, von einer Ausnahme abgesehen, identisch mit Korr I. Wahrscheinlich ist hierbei nur der erste Teil einer vermutlich vorhanden gewesenen Druckfehlerliste berücksichtigt worden. Diesen Zustand des Druckes, zunächst ohne handschriftliche Eintragungen, vertreten die Exemplare Nr. 6, 11 und 13.

Korr III, wieder eine handschriftliche Korrekturschicht, findet sich nur in Exemplaren der zweiten Auflage, also nur in solchen, die bereits mit Korr II versehen

Tabelle der Korrekturen im Originaldruck

BWV	Takt	Korr		BWV	Takt	Korr	
552, 1	4	I, II		678	53	I	
552, 1	20	I, II		680	4	I,	III
552, 1	28	I, II		681	7	I,	III
552, 1	29	I, II		684	23	I,	III
552, 1	178	I		684	24	I,	III
669	7	I, II		684	54	I	
669	14	I, II		684	63	I,	III
669	16	II		686	20	I,	III
669	21	I, II		686	45	I,	III
669	30	I, II		686	52	I,	III
669	39	I, II		686	53	I,	III
670	15	I, II		687	25	I	
670	34	I, II		687	48	I	
670	41	I, II		687	73	I	
670	50	I, II		688	27	I	
670	59	I, II		689	17/18	I	
671	54	I, II		689	27/28	I	
671	58	I, II		689	37	I	
672	1	I		802	41	I	
672	25	I		803	37	I	
675	5/6	I		803	38	I	
675	10	I		803	85/86	I	
675	13	I		804	27	I	
675	16	I		805	11	I	
675	43	I		805	78	I	
676	15	I		552, 2	24	I	
676	32	I		552, 2	32/33	I	
676	61	I		552, 2	54	I	
678	9	I,	III	552, 2	74	I	
678	12	I,	III	552, 2	85	I	
678	14	I,	III	552, 2	108	I	
678	43	I,	III	552, 2	114	I	
678	50	I,	III				

waren. Diese Eintragungen erstrecken sich nur auf die Seiten 30–53 des Originaldrucks, sind hier wieder, von wenigen Ausnahmen abgesehen, identisch mit Korr I. Korr III steht völlig übereinstimmend in den Exemplaren Nr. 1, 8, 9[16], 12 und 16.

Bei einigen der handschriftlichen Verbesserungen, sowohl in Korr I als auch in Korr III, läßt sich erkennen, daß sie vom selben Schreiber herrühren; so z. B. in BWV 675, Takt 16 (Korr I) und in BWV 686, Takt 53 (Korr I und III). Diese Tatsache, wie auch die Übereinstimmung der Eintragungen innerhalb der Korrekturschichten beweisen, daß die Korrekturen vor dem Verkauf der Druckexemplare jeweils nach einer gemeinsamen Vorlage, einer Druckfehlerliste oder einem korrigierten Exemplar vorgenommen wurden. Damit ist ihre Authentizität gesichert.

Eine tabellarische Übersicht über die drei Korrekturschichten soll helfen, den Sachverhalt zu verdeutlichen. Angegeben ist hier nur der Ort der Korrektur. Ihre Art wird im Kritischen Apparat beschrieben.

Die einzelnen Exemplare des Originaldrucks

A 1. Staatsbibliothek Berlin-Dahlem, zu den Beständen der BB gehörend. Signatur: *DMS 224676(3)*.

Auf dem (alten) Innendeckblatt des neuen Einbandes: *G. Pölchau. 2. Exempl. in der Hauser-Sammlung*. Alte Signatur: *09490*. Akz. Nr.: *M. 1934. 1299*.

Enthält Korr II und III.

Mit einiger Sicherheit haben wir es hier, wie Kinsky nachgewiesen hat[17], mit dem Exemplar zu tun, das, aus dem Besitz J. S. Bachs stammend, über C. Ph. E. Bach, J. N. Forkel, G. Poelchau, und, was Kinsky nicht berücksichtigt, auch über F. C. Griepenkerl in den Besitz der BB gelangt ist. Kinsky machte (1935 oder früher) an diesem Exemplar die Beobachtung, „. . . daß ihm noch ein zweiter Druck beigebunden war, der später herausgeschnitten ist“. Das ist heute, nach einer Restauration des Einbandes, nicht mehr erkennbar.

Ausgehend von dieser Beobachtung und zwei Briefen C. Ph. E. Bachs an Forkel[18], identifiziert Kinsky unser Exemplar. Der später herausgetrennte Teil war dann Bachs Handexemplar der bei Schübler verlegten „Sechs Choräle“ BWV 645–650.[19] Im Nachlaßkatalog der Bibliothek Forkels, S. 136, werden beide Bestandteile noch vereint unter Nr. 59 aufgeführt: [Clavierübung] *3. Thl. best. in versch. Vorspielen über die Gesänge für die Orgel in 4. angebunden 6 Choräle für die Orgel mit 2 Clav. u. Pedal*. Nach der Notiz im Innendeckel hat wahrscheinlich G. Poelchau diesen Band erworben. Entgegen Kinskys Vermutung, daß dieser Band mit Poelchaus Sammlung

---

[16] Wegen der weiteren hs. Eintragungen in diesem Exemplar vgl. die Beschreibung der Quelle auf Seite 18.

[17] a. a. O., Seite 46 f. und 60 f.

[18] Abgedruckt bei C. H. Bitter, *Carl Philipp Emanuel und Wilhelm Friedemann Bach und deren Brüder*, Berlin 1868, Bd. I, Seite 337 und Bd. II, Seite 229.

[19] Bereits 1878 für lange Zeit verschollen. Jetzt in polnischem Privatbesitz.

1841 in die BB gelangte, schreibt F. C. Griepenkerl 1847 in der Vorrede zu Bd. VI seiner Ausgabe der Bachschen Orgelwerke, daß die Originalausgaben des 3. Teils der Klavierübung und der Sechs Choräle aus Forkels Nachlaß sich in seinem Besitz befänden.

Jedoch enthält dieser Originaldruck keine einzige Eintragung, die über Korr II und III hinausgeht, sehr im Gegensatz zu jenem Exemplar der Sechs Choräle, das mit einer Vielzahl von Korrekturen und anderen Eintragungen von Bachs Hand versehen ist.

A 2. Amalienbibliothek des Joachimsthalschen Gymnasiums, zu den Beständen der BB gehörend, in der Staatsbibliothek Berlin-Dahlem. Signatur: *Am. B. 113.*
Enthält Korr I.

A 3. Cambridge/Massachusetts (USA), Houghton Library at Harvard University. Signatur: **54-1761.*
Dieses aus der Sammlung R. Aldrich stammende Exemplar enthält Korr I.

A 4. 's Gravenhage (Niederlande), Gemeente Museum. Die in der Bibliothek des Gemeente Museums vorhandenen Originaldrucke Bachscher Werke (früher Muziekbibliotheek von D. F. Scheurleer) werden in einer Pappkassette (Bach-Doos) ohne Signatur aufbewahrt.
Enthält Korr I.

A 5. Musikbibliothek der Stadt Leipzig, Sammlung Becker *III. 6. 15.*
Enthält Korr I.
Dieses Exemplar aus dem Besitz Carl Ferdinand Beckers diente bei der von ihm besorgten Edition des 3. Teils der Klavierübung in BG 3 als Redaktionsexemplar. Die zahlreichen Eintragungen — fast nur Ergänzungen von fehlenden Pausen — dürften deshalb von Beckers Hand stammen und bleiben daher in unseren speziellen Anmerkungen unberücksichtigt.

A 6. Musikbibliothek der Stadt Leipzig. Signatur: *PM 1403* (früher Musikbibliothek Peters).
Enthält Korr II (jedoch nicht Korr III).
Auf der Titelseite Possessorenvermerk: *Wilh. Rust.* Von diesem stammen möglicherweise eine Reihe von Bleistiftkorrekturen.

A 7. London, British Museum, Sammlung Hirsch *III. 39.*
Dieses Exemplar aus dem Besitz Ambrosius Kühnels diente diesem als Redaktionsexemplar und Stichvorlage für die 1804 erschienene Ausgabe der „Exercices pour le Clavecin" bei Hoffmeister & Co. (Quelle E 1). Es enthält zahlreiche Eintragungen Kühnels: Korrekturen der Stichfehler, Anweisungen für den Stecher, Modernisierung der Schlüssel- und Akzidenziensetzung u. ä. Jedoch weist es keine authentischen Korrekturschichten auf. Dieser Mangel ist in der Hoffmeisterschen Ausgabe und auch noch in den späteren Ausgaben des Nachfolgeverlages C. F. Peters spürbar. Die originalen Seiten 26–29 fehlen, sind aber durch handschriftliche Blätter ersetzt worden.

A 8. London, British Museum. Signatur: *K. 10. a. 2.*
Enthält Korr II und III.

A 9. London, British Museum. Signatur: *K. 10. a. 42.*
Dieses aus dem Privatbesitz von Alfred Cortot stammende Exemplar wurde nach dessen Tode (1962) von dem Londoner Antiquar Albi Rosenthal erworben, der es 1966 an das Britische Museum verkaufte. Weitere Vorbesitzer, insbesondere der Erstbesitzer, sind nicht mehr zu ermitteln.

Nach den Korrekturschichten II und III, die das Exemplar zunächst enthielt, wurde es mit einer Reihe von weiteren handschriftlichen Korrekturen und Eintragungen versehen, die zu einem Teil mit Korr I übereinstimmen, zum anderen aber singulär sind. Von Korr I sind nicht alle Korrekturen vorhanden, darunter jedoch einige recht nebensächliche, so daß man zunächst vermuten muß, daß dem Schreiber dieser über Korr II und III hinausgehenden Korrekturen ein Originaldruckexemplar mit Korr I zum Vergleich vorgelegen hat. Die Herkunft der singulären Korrekturen bliebe dann aber ungeklärt.

Nicht auszuschließen ist die weitere Möglichkeit, daß dieser Schreiber als Vergleichsvorlage eines der verlorengegangenen Autographen benutzt hat. Das würde die nachgetragenen Akzidenzien (z. B. in BWV 670, Takt 58 und BWV 671, Takt 15) erklären, deren Vorhandensein in der Stichvorlage wegen der auffälligen Zwischenräume im Stich zu vermuten ist. Auch die weiteren singulären Eintragungen könnten dem Autograph entnommen sein, das möglicherweise bereits zusätzliche Korrekturen Bachs enthielt.

Auf jeden Fall ist zum mindesten ein Teil der über Korr II und III hinausgehenden Korrekturen durch Kontamination entstanden, worauf auch mehrere Merkzeichen hinweisen. Die singulären Eintragungen bestehen in einigen hinzugefügten Akzidenzien, die größtenteils keine neuen Lesarten schaffen, einigen Haltebögen, deren Ergänzung wertvoll ist, einigen zusätzlichen Ornamenten (BWV 676, Takt 34 und Takt 79, und BWV 552, 2, Takt 117), die entbehrlich und wohl kaum authentisch sind, sowie zwei Korrekturen (BWV 670, Takt 22 und BWV 684, Takt 30), die als Varianten authentischen Charakter haben könnten. Hinzu kommen noch einige Beischriften wie „Choral forte", „Choral" und „Pedal" in BWV 669, 670, 682, 684 und 686 jeweils zur c.f.-Stimme. Diese Beischriften ähneln in ihrem Duktus den Schriftzügen J. S. Bachs, so daß zunächst zu prüfen war, ob sie nicht von Bach selbst stammen. Eine sorgfältige Prüfung hat jedoch ergeben, daß sie keinesfalls mit Sicherheit als autographe Zusätze anzusehen sind, daß sich aber andererseits Bachs Urheberschaft nicht völlig ausschließen läßt.

Weil die singulären Korrekturen dieses Exemplars auf eine authentische Vorlage zurückgehen könnten, werden sie im Kritischen Apparat mit aufgeführt.

A 10. München, Bayerische Staatsbibliothek. Signatur: *4⁰ Mus. pr. 28304.*
Enthält Korr I.

A 11. New Haven/Connecticut (USA), Yale University Library.
Enthält nur Korr II.

A 12. Paris, Bibliothèque Nationale. Signatur: *Rés. Vm¹ 499.*
   Auf dem Vorsetzblatt: *Sum ex Libris | Johannis Jacobi Pflaum | p : t : Organoedi ad Templum | St. Petri Heydelberge. | Die 25ᵗᵉ Maji 1752*
Enthält Korr II und III.

A 13. Washington, Library of Congress. Signatur: *Music M 3. 3. B Pt. 3.*
Enthält nur Korr II.

A 14. Wien, Österreichische Nationalbibliothek. Signatur: *SA. 82. F. 15.*
Enthält Korr I.

A 15. Privatbesitz Antony van Hoboken, Ascona (Schweiz).
Enthält keine Korrekturschicht.

A 16. Privatbesitz Heinrich Sievers, Hannover.
Enthält Korr II und III.
Die Seiten 24–29 sind verlorengegangen. Sie sind ebenso wie in A 7 durch Blätter mit handschriftlichem Notentext ersetzt worden.

A 17. Privatbesitz Erwin R. Jacobi, Zürich (Schweiz).
Enthält Korr I.

A 18. Rochester/New York (USA), Sibley Music Library, Eastman School of Music, University of Rochester. Signatur: *Vault: M3.3 B 118c.*
Ehemals Privatbesitz Werner Wolffheim, Berlin. Possessorenvermerk: *C.P. Gm. 1765.*

A 19. Civico Museo Bibliografico Musicale, Bologna. Signatur: *DD 69.*
Aus dem Besitz G. B. Martinis stammendes Exemplar mit Korr I.

Exemplare unbekannten Verbleibs
(Identität mit bereits beschriebenen Exemplaren jedoch nicht ausgeschlossen)

[A 20.] Ehemals Privatbesitz Ernst Otto Lindner, Berlin. Titel hs. ergänzt. Vgl. Leo Liepmannssohn, *Verzeichnis der von Dr. Ernst Otto Lindner . . . hinterlassenen musikalischen Bibliothek, nebst Sammlung älterer und neuerer Musikalien (Catalog No. 15),* Berlin 1879, S. 36.

[A 21.] Ehemals Privatbesitz Wilhelm Heyer, Köln. Vorbesitzer Friedrich Wilhelm Rust, Dessau. Vgl. Leo Liepmannssohn/Karl Ernst Henrici, *Versteigerung von Musikbüchern, Praktischer Musik und Musiker-Autographen des 16. bis 18. Jahrhunderts aus dem Nachlaß des Herrn . . . Wilhelm Heyer in Köln,* Berlin 9./10. 5. 1927, S. 34, Nr. 172.

[A 22] Ehemals Privatbesitz Hendrik Otto Raimond Baron van Tuyll van Serooskerken, Utrecht. Vgl. Sotheby & Co., *Catalogue of Valuable, Holograph, Printed and Engraved Music, . . . comprising . . . The Property of Dr. H. O. R. Baron van Tuyll van Serooskerken,* London 11./12. 5. 1959, S. 63 Nr. 393.

Handschriftliche Quellen

B 1–17. Die zu den Beständen der BB gehörenden, in der Staatsbibliothek Berlin-Dahlem befindlichen Handschriften:

B 1. Signatur: *Mus. ms. Bach P 216.*

    36 Bll. 35 cm × 24 cm

    Dritter Theil | der | Clavier Übung | . . .

Gesamtabschrift des 3. Teils der Klavierübung von der Hand eines unbekannten Schreibers aus der 2. Hälfte des 18. Jh., aus Poelchaus Besitz. Vorlage war ein Originaldruck mit Korr. I. Die Reihenfolge der Stücke ist wie in B 25 und B 35 verstellt: BWV 552, 1; 669–685, 688, 689, 687, 686, 802–805, 552, 2.

B 2. Signatur: *Mus. ms. Bach P 228.*

    (beschrieben im Kritischen Bericht NBA IV/5–6 als Quelle B 6)

    Faszikel 2 (Seite 57–65): 5 Bll. 27 cm × 34,5 cm

    Vier Duetten | für das | Piano-Forte | von | Joh: Seb: Bach.

Abschrift eines unbekannten Schreibers aus der 1. Hälfte des 19. Jh. nach dem Originaldruck mit Korr I.

Inhalt: BWV 802–805.

B 3. Signatur: *Mus. ms. Bach P 247.*

    (beschrieben im Kritischen Bericht NBA IV/5–6 als Quelle B 7)

    Faszikel 2 (Seite 35–41): 4 Bll. 21 cm × 34 cm

    Fuga. | a 5. | con Pedale | pro Organo pleno. | J. S. Bach. | ex Dis. | BC.

Abschrift eines unbekannten Schreibers aus der 2. Hälfte des 18. Jh. nach dem Originaldruck.

Inhalt: BWV 552, 2.

B 4. Signatur: *Mus. ms. Bach P 251.*

    77 Bll. 21,7 cm × 30,5 cm, paginiert 1–153

    Titel nach dem Originaldruck.

Von Kopistenhand gefertigte Gesamtabschrift nach dem Originaldruck mit Korr II und III. Diese mit ungewöhnlicher Platzverschwendung sauber geschriebene Handschrift konserviert eine große Anzahl von Druckfehlern. Die Reihenfolge der Stücke ist verändert: BWV 552, 1; 669–671, 675–678, 672–674, 679–689, 802–805, 552, 2.

B 5. Signatur: *Mus. ms. Bach P 285.*

    (beschrieben im Kritischen Bericht NBA IV/2 als Quelle J³)

Sammelhandschrift. Darin als Abschrift aus dem Hauserschen Nachtrag von *P 1109* (= B[15]) auf Seite 41: BWV 683a[20].

B 6. Signatur: *Mus. ms. Bach P 287.*

    (beschrieben im Kritischen Bericht NBA IV/5–6 als Quelle B 15)

    Faszikel 3 (Seite 23–38): 8 Bll. 34,5 cm × 21,8 cm

Abschrift eines unbekannten Schreibers aus der 2. Hälfte des 18. Jh., nach dem Originaldruck.

Inhalt: BWV 552, 1; 669–671, 688 (BWV 669, 670 und 671 eine kleine Terz tiefer transponiert).

---

[20] Zur Frage der Echtheit dieser Fassung vgl. Seite 33 f.

B 7. Signatur: *Mus. ms. Bach P 424.*

(beschrieben im Kritischen Bericht NBA IV/2 als Quelle K[5])

Darin als Abschrift nach dem Breitkopf & Härtelschen Druck von 1803–06 auf Seite 15: BWV 681.

B 8. Signatur: *Mus. ms. Bach P 427.*

32 Bll. 25,9 cm × 32,2 cm

Abschrift des größten Teils von Klavierübung III aus der 1. Hälfte des 19. Jh. nach einem Exemplar der Druckausgabe von Hoffmeister & Co. (E 1). Einige leere Seiten lassen vermuten, daß eine vollständige Abschrift des Frühdrucks beabsichtigt war. Die Schrift ist identisch mit der von *P 424* (Nitsche?).

Inhalt: BWV 552, 1; 669–677, 683, 686, 552, 2.

B 9. Signatur: *Mus. ms. Bach P 506.*

8 Bll. 34 cm × 20,7 cm

Praeludium et | Fuga | super | Kyrie Gott Vater in Ewigkeit etc. etc. | in | Organo pleno cum oblig: Pedale. | von | Johann Sebastian Bach. | Poss: | J. S.: 1764.

Abschrift eines unbekannten Schreibers aus der Mitte des 18. Jh. nach dem Originaldruck mit Korr II.

B 10. Signatur: *Mus. ms. Bach P 521.*

(beschrieben im Kritischen Bericht NBA IV/3 als Quelle H[3])

Darin als Abschrift aus dem Breitkopf & Härtelschen Druck von 1803–06 auf Seite 8–9: BWV 679 und auf Seite 12–13: BWV 677.

B 11. Signatur: *Mus. ms. Bach P 566.*

18. Bll. 35,8 cm × 21,8 cm

Abschrift eines großen Teils von Klavierübung III vom Originaldruck, nach Kast von Möring geschrieben.

Inhalt: BWV 677, 675, 687, 685, 683, 688, 646, 689, 684, 673, 674, 672, 679, 802–805, 681.

B 12. Signatur: *Mus. ms. Bach P 616.*

(beschrieben im Kritischen Bericht NBA IV/3 als Quelle H[7])

Darin als Abschrift nach dem 1. Heft des Breitkopf & Härtelschen Druckes von 1803–06: BWV 675–677, 680, 681.

B 13. Signatur: *Mus. ms. Bach P 837.*

(beschrieben im Kritischen Bericht NBA IV/5–6 als Quelle B 65)

Darin als Abschrift nach dem Originaldruck: BWV 552, 1; 688, 689, 672–674, 552, 2.

B 14. Signatur: *Mus. ms. Bach P 1010.*

9 Bll. 33 cm × 21 cm

IV | DUETTI | per il | Cembalo. | Del Sign: Joh: Sebast: Bach.

Abschrift eines unbekannten Schreibers aus der 2. Hälfte des 18. Jh. aus dem Besitz von F. W. Rust nach dem Originaldruck mit Korr I.

Inhalt: BWV 802–805.

B 15. Signatur: *Mus. ms. Bach P 1109.*

(beschrieben im Kritischen Bericht NBA IV/2 als Quelle M)

Darin auf Seite 72–73 BWV 683a[21] von der Hand F. Hausers. Zu diesem Stück findet sich auf Seite 72 unten ein Vermerk:

NB Abschriftlich bei Org. J. Kötschau in Schulpforta | beglaubigt durch Felix Mendelssohn- | B.

B 16. Signatur: *Mus. ms. Bach P 1119.*

(beschrieben im Kritischen Bericht NBA IV/3 als Quelle O)

Darin BWV 687 und 689 nach dem Originaldruck.

B 17. Signatur: *Mus. ms. Bach P 1165.*

2 Bll. 22,4 cm × 29,6 cm

„Fuge von J. Seb. Bach fürs Clavier."

Von Muzio Clementi geschriebene Hs. aus der Sammlung Aloys Fuchs.

Inhalt: BWV 805 nach dem Originaldruck mit Korr I.

B 18. Deutsche Staatsbibliothek, Berlin. Signatur: *Mus. ms. 30195.*

(beschrieben im Kritischen Bericht NBA IV/2 als Quelle D[7])

Enthält aus Klavierübung III auf Bl. 57ʳ BWV 803 (nur bis Takt 37), Bl. 57ᵛ BWV 683 und auf Bl. 58ʳ–60ʳ BWV 676 in einer Abschrift aus der 2. Hälfte des 18. Jh. nach dem Originaldruck mit Korr I.

B 19. Deutsche Staatsbibliothek, Berlin. Signatur: *Mus. ms. 30202.*

(beschrieben im Kritischen Bericht NBA IV/3 als Quelle C[5])

Um 1800 geschriebene Sammelhandschrift, die außer den im Kritischen Bericht NBA IV/3 genannten Bachschen Stücken auf Seite 14 noch BWV 681 nach dem Originaldruck enthält.

B 20. Deutsche Staatsbibliothek, Berlin. Signatur: *Mus. ms. 30377.*

24 Bll. 32 cm × 22,5 cm.

Fugen, | Fugirte Chorale, | Praeludia | und | Trio | für die Orgel | von | Schneider, Bach und Krebs.

Von Bach enthält dieser Sammelband aus der 2. Hälfte des 18. Jh. BWV 680, 665a, 665c, 664a (stark gekürzt), 538, 2 (stark gekürzt), 540, 2 (stark gekürzt), 914, 2; 578. BWV 680 (Seite 2–4) in einer Abschrift vom Originaldruck ist nach c transponiert.

B 21. Staatsbibliothek Berlin-Dahlem, zu den Beständen der BB gehörend. Signatur: *Mus. ms. 30444.*

Dieser Sammelband enthält nur den 1. Teil der Fuge BWV 552, 2, auf Dreistimmigkeit (manualiter) reduziert.

B 22. Amalienbibliothek des Joachimsthalschen Gymnasiums, als Dauerleihgabe in der Deutschen Staatsbibliothek in Berlin. Signatur: *Am. B. 45.*

46 Bll. 33,5 cm × 21,1 cm

Johann. Sebastian. Bach. | Catechismus Gesänge vor die Orgel | Opus 3.

---

[21] Zur Echtheit dieser Fassung vgl. Seite 33 f.

Saubere Gesamtabschrift eines Kopisten der Am.B. (nach Blechschmidt „J. S. Bach III") vom Originaldruck mit Korr I.

Inhalt: BWV 552, 1; 669–689, 802–805, 552, 2.

B 23. Amalienbibliothek des Joachimsthalschen Gymnasiums, zu den Beständen der BB gehörend, in der Staatsbibliothek Berlin-Dahlem. Signatur: *Am.B. 56.*

(beschrieben bei Blechschmidt, Seite 69)

Enthält in Faszikel 1, auf Seite 14–15 BWV 679 als Abschrift (Schreiber: „J. S. Bach I") vom Originaldruck.

B 24. Civico Museo Bibliografico Musicale, Bologna. Signatur: *DD 77.*

20 Bll. in Sammelband quer

Sonate p cembalo e | Fughe di Gio: Sebastiano Bach:

Inhalt: BWV 825, 6 u. 7; 826, 1 (Takt 30–91), 827, 7; 669–671, 677, 679, 680, 684, 685, 687, 689, 803, 552, 2.

Diese Handschrift aus der 2. Hälfte des 18. Jh. bietet die Stücke aus dem 3. Teil der Klavierübung als Abschrift nach dem Originaldruck mit Korr I. Die Choralbearbeitungen tragen keine Überschriften.

B 25. Public Library, Boston/Mass. (USA). Allen A. Brown Collection, Signatur: *MS M 200.12*

18 + 6 + 25 Bll.

Konvolut aus 3 Teilen:

1. *Clavier Uebung, | bestehend | in einer | ARJA, | . . .* (BWV 988)
2. *Zweyter Theil | der | Clavierübung | . . .* (jedoch nur BWV 971) *Joh: Chr: Oley. | Bernburg*[22]
3. *Dritter Theil | der | Clavier Uebung | . . . Noebergall | ān 1795.*

Klavierübung III in einer Gesamtabschrift nach dem Originaldruck mit Korr I. Die Reihenfolge der Stücke wie in B 1 und B 35.

B 26. Musikarchiv des Benediktinerstifts Göttweig (Österreich). Signatur: *Ms. J. S. Bach Nr. 35.*

(beschrieben von F. W. Riedel, BJ 1960, Seite 95)

Darin eine um 1830 von Aloys Fuchs gefertigte Abschrift der Duetten BWV 802–805 nach dem Originaldruck.

B 27. Musikarchiv des Benediktinerstifts Göttweig (Österreich). Signatur: *Ms. J. S. Bach Nr. 53* (beschrieben von F. W. Riedel, BJ 1960, Seite 92)

Vollständige Kopie des 3. Teils der Klavierübung nach dem Originaldruck mit Korr I, laut Notiz auf Seite 64 im Mai 1842 angefertigt, aus dem Besitz von Aloys Fuchs.

B 28. Musikbibliothek der Stadt Leipzig (früher Musikbibliothek Peters). Sammlung Scheibner, Signatur: *Ms. 2.*

(beschrieben bei Krause, Seite 26)

---

[22] Der 2. Teil des Konvoluts ist als Quelle für BWV 971 von bedeutendem Wert. Vgl. Walter Emery, *An Introduction to the Textual History of Bach's Clavierübung, Part II* in: The Musical Times 92 (1951), Seite 205ff. und 260ff.

Enthält auf Seite 1–49 vermutlich von der Hand J. A. G. Wechmars (1727–1799) eine unvollendete Abschrift des 3. Teils der Klavierübung (BWV 552, 1; 669–683, von BWV 684 nur noch der Titel) nach dem Originaldruck mit Korr I.

B 29. Musikbibliothek der Stadt Leipzig (früher Musikbibliothek Peters). Sammlung Mempell-Preller, Signatur: *Ms. 7.*
    (ausführliche Beschreibung bei Krause, Seite 29–36)
Enthält als Faszikel 28 (Seite 139–146) aus dem Besitz J. N. Mempells eine Abschrift von BWV 676, die auf den Originaldruck mit Korr I zurückgeht.

B 30. Musikbibliothek der Stadt Leipzig (früher Musikbibliothek Peters), Sammlung Rudorff, Signatur: *Ms. R 16.*
    (beschrieben bei Krause, Seite 49–51)
Faszikel 5 (Seite 25–36) enthält BWV 552, 2 in einer Abschrift vom Ende des 18. Jh. nach dem Originaldruck. Es fehlen die Takte 64–107, 1. Hälfte; offenbar ging ein Bogen mit vier beschriebenen Seiten verloren.

B 31. Musikbibliothek der Stadt Leipzig. Signatur: *Poel. mus. Ms. 355.*
    (beschrieben bei Krause, Seite 14)
Darin auf Seite 8–19 BWV 552 (*Concerto in Es-dur fünfstimmig von J. S. Bach*) und auf Seite 34–35 BWV 680 (*Maestoso pro Organo pleno*) als Abschriften von J. G. Weygand (1815/20) nach dem Originaldruck.

B 32. Bach-Archiv Leipzig. Signatur: *Go. S. 12.*
    Vorspiele | von | J. S. Bach.
Diese Handschrift aus der 2. Hälfte des 18. Jh. enthält auf den Seiten 1–15 BWV 552 als Abschrift vom Originaldruck mit Korr I.

B 33. Bach-Archiv Leipzig. Signatur: *Go. S. 27.*
    (beschrieben im Kritischen Bericht NBA I/12, Seite 13)
Enthält auf den Seiten 12–15 BWV 552, 2 als Abschrift von der Hoffmeisterschen Ausgabe (E 1). Schlußvermerk: *Merseburg d. 26. Aug. 1846.*

B 34. Bach-Archiv Leipzig. Signatur: *Go. S. 315.*
Enthält auf Seite 2 BWV 672 und auf Seite 8–9 BWV 677 als Abschrift von der Hoffmeisterschen Ausgabe (E 1).

B 35. British Museum, London. Signatur: *RM. 21. a. 9.*
    62 + 70 + 64 Blätter 29,6 cm × 23,5 cm
    Außentitel: *JOHANN SEBASTIAN BACH'S HARPSICHORD LESSONS FUGUES & C. 1, 2, & 3.*
    Auf dem 1. Vorsatzblatt: *This Volume belongs to the Queen 1788.*
Diese Sammelhandschrift aus der Royal Musical Library enthält beide Teile des Wohltemperierten Klaviers und den 3. Teil der Klavierübung; jeder Teil ist von einem anderen Kopisten geschrieben. Klavierübung III ist eine Kopie nach dem Originaldruck mit Korr I. Die Reihenfolge ist wie in B 1 und B 25 verändert: BWV 552, 1; 669–685, 688, 689, 687, 686, 802–805, 552, 2.

B 36. Yale University, New Haven/Connecticut (USA), Library of the School of
   Music. Sammlung Lowell Mason. Signatur: *LM 4840.*
   (beschrieben im Kritischen Bericht NBA IV/2 als Quelle B[1])
Enthält aus dem 3. Teil der Klavierübung BWV 676, 678, 679, 682–684 als Abschrift
nach dem Breitkopf & Härtelschen Druck von 1803–06 [E 2].

B 37. Zentralbibliothek Zürich (Schweiz). Signatur: *Ms. Car. XV 241.*
Diese zu Editionszwecken von Hermann Nägeli geschriebene Handschrift enthält
aus dem 3. Teil der Klavierübung BWV 802 und 804 nach dem Originaldruck mit
Korr I.

B 38. Privatbesitz Martin Wandersleb, Helmstedt.
   35 Bll. 26,5 cm × 31,5 cm
Gesamtabschrift des 3. Teils der Klavierübung (etwa um 1800) nach dem Originaldruck mit Korr I.

Nicht mehr zugängliche Quellen

Autographe Quellen zum 3. Teil der Klavierübung sind nicht mehr vorhanden. Da
die Stichvorlage ein Autograph mit ausgesprochen kalligraphischem Charakter war,
wie die faksimileartige Wiedergabe im Originaldruck erkennen läßt, kann sie nicht
die Urschrift gewesen sein. Es müssen deshalb wenigstens die folgenden zwei Autographen existiert haben:

[C 1]. Bachs verschollene Urschrift.

[C 2]. Die autographe Stichvorlage.

Eines dieser Autographen (oder sogar ein drittes?) befand sich 1774 im Besitz
C. Ph. E. Bachs. Als dieser am 9. August 1774 die aus dem Nachlaß seines Vaters
stammenden Originaldrucke vom 1. und 3. Teil der Klavierübung Joh. Nikolaus
Forkel zum Kauf anbietet, schreibt er ihm: *„Ich habe des seeligen Mannes manuscript u.
damit will ich mich behelfen, u. sie haben das Exemplar, was er ehedem selbst für sich hatte."*[23]
In C. Ph. E. Bachs Nachlaßverzeichnis ist diese Handschrift nicht aufgeführt.

[D 1]. Bibliothek der Staatlichen Hochschule für Musik, Berlin-Charlottenburg.
   Signatur: *Sp 1438.*
Im Kriege verlorengegangen.[24] Enthielt nach BG 40 aus dem 3. Teil der Klavier-
übung: BWV 675–684.

[D 2]. Stadtbibliothek Danzig (Biblioteka Miejska w Gdańsku)
   Signatur: *Mus. ms. 4203/4204.*
Im Kriege verlorengegangen.[25] Enthielt aus dem 3. Teil der Klavierübung:
BWV 669–689.

---

[23] Zitiert nach Dok II.
[24] Vgl. Krit. Bericht NBA IV/2 (Quelle [T[1]]).
[25] Vgl. Krit. Bericht NBA IV/2 (Quelle [T[2]]) und Otto Günther, *Die musikalischen Handschriften der
   Stadtbibliothek . . .*, Danzig 1911 und W. Wolffheim, *Bachiana* in: BJ 1911, Seite 46 ff.

[D 3]. Ehemals Mozartstiftung, Frankfurt am Main, Sammlung Schelble-Gleich-auf.[26]

Am 17. 5. 1917 versteigert durch Sotheby an H. Stevens. Heute nicht mehr nach-weisbar. Enthielt nach BG 40 BWV 676a und 683a.

[D 4]. Im *Verzeichnis derer Musicalien welche in der Niederlage auf den grossen Bleichen bey Johann Christoph Westphal und Comp. in Hamburg in Commision zu haben sind. 1782.*[27] findet sich ein Manuskriptband angezeigt: *Vorspiele über die Catechismus und andere Gesänge für die Orgel. 3. Teil* (der Klavierübung). Möglicherweise ist dieser Band iden-tisch mit einer der erhaltenen Gesamtabschriften.

Die Frühdrucke

E 1. *EXERCICES | pour le Clavecin | par | J. S. BACH. | Oeuvre III. | à Vienne, chez Hoffmeister & Comp: | à Leipsic, au Bureau de Musique.*
   Platten-Nummer: 307. [1804][28]

Dieser von Ambrosius Kühnel redigierten Ausgabe des 3. Teils der Klavierübung (vollständig, mit Ausnahme der Duetten) liegt das Exemplar A 7 des Originaldrucks zugrunde. Da dieses Exemplar keine authentischen Korrekturen enthält, sind in der Ausgabe zahlreiche Fehler erhalten geblieben, die auch in den folgenden Ausgaben des Nachfolgeverlages C. F. Peters, selbst nach der Revision von F. C. Griepenkerl, weiter mitgeschleppt wurden.

Mit derselben Platten-Nummer 307 erschien etwa 1815 eine neugestochene, aber sonst unveränderte Ausgabe *Exercices pour le Clavecin . . . Leipzig au Bureau de Mu-sique de C. F. Peters.*

E 2. *J. S. BACHS | CHORAL-VORSPIELE | für | die Orgel | mit einem und zwey Klavieren | und Pedal. | Erstes (2., 3. und 4.) Heft. | Leipzig | bey Breitkopf und Härtel. | Pr. 16 Gr.*
   4 Hefte in Typendruck.

Diese 1803–1806[29] erschienene Sammlung von 39 Choralvorspielen enthält aus dem 3. Teil der Klavierübung: BWV 675–677, 680, 681, 678, 679, 682, 683.

Für diese Stücke hat mit größter Wahrscheinlichkeit der Originaldruck als Vorlage gedient. Da der Druck recht fehlerhaft ausgefallen ist und der Herausgeber J. G. Schicht gelegentlich kräftig in den Text eingegriffen hat, ist das nicht mehr mit Sicherheit feststellbar. Jedoch finden sich keine Anzeichen dafür, daß er eine vom Originaldruck unabhängige Vorlage benutzt habe.

[26] Vgl. Krit. Bericht NBA IV/2 (Quelle [Z⁴]).

[27] Zitiert nach M. Schneider, *Verzeichnis der bis zum Jahre 1851 gedruckten (und der geschrieben im Handel gewesenen) Werke von Johann Sebastian Bach* in: BJ 1906, Seite 96–114.

[28] Datiert nach O. E. Deutsch, *Musikverlags Nummern. Eine Auswahl von 40 datierten Listen 1710–1900.* Berlin 1961.

[29] Die einzelnen Hefte sind in der *Allgemeinen Musikalischen Zeitung* angezeigt worden: Heft 1 im Juli 1803, Heft 2 im November 1803, Heft 3 im März 1805, Heft 4 im Juni 1806. Eine Rezension des 1. und 2. Heftes erschien im Oktober 1805.

E 3. *VIER DUETTEN | FÜR DAS | PIANO-FORTE | von | JOHANN SEBASTIEN BACH. | Verlag und Eigenthum von T. Trautwein in Berlin.*
Verlags-Nummer: 615 [ca. 1838/39]
BWV 802–805 nach dem Originaldruck ohne Korr I.

E 4. *COMPOSITIONS | pour le | Piano-Forte | sans et avec accompagnement | PAR | JEAN SEBASTIEN BACH. | Edition nouvelle ... | par | FRÉD. CONR. GRIEPENKERL, | ... | LEIPZIG, | au Bureau de Musique de C. F. Peters. | Oeuvres complettes Liv. 4 | ...*
Platten-Nummer: 2696 [ca. 1840]
Inhalt: BWV 903, 944, 914, 910, 911, 904, 907, 908, 992, 913, 802–805; zwei Varianten zu BWV 903, Variante zu BWV 913, Auflösungen zu BWV 907 und 908; BWV 898.
Für die Duette hat der Originaldruck ohne Korr I als Vorlage gedient.
Als Beispiel für die Ausgaben Karl Czernys sei die folgende angeführt (weitere Ausgaben sind bei Launer, Paris und bei Cocks, London erschienen).

E 5. *COLLECTION | complète | DES | Compositions | DE | J. SÉB. BACH | POUR LE | PIANO | avec ou sans accompagnement. | Nouvelle Edition | ... | PAR | CH. CZERNY. | Livre V ... | A PARIS, chez S. RICHAULT ...*
Verlags-Nummer: R 9366 [vermutlich kurz nach 1841]
Inhalt: BWV 825–829, 802–805.
Die Duette sind allem Anschein nach von der Ausgabe Griepenkerls (E 4) abhängig.

E 6. *CHORALVORSPIELE | verschiedener Form | für die Orgel | von | JOHANN SEBASTIAN BACH. | Vier Hefte. | Leipzig, bei Breitkopf & Härtel.*
Platten-Nummer: 7691–94 [ca. 1846]
Inhalt: Heft I: BWV 649, 692, 693, 675, 711, 717, 716, 676, 677, 664, 687, 686. Heft II: BWV 685, 684, 696, 679, 678, 705, 697, 723, 748, 703, 724, 698, 709, 708a, 708, 707. Heft III: BWV 689, 665, 666, 688, 650, 672–674, 669–671, 706, 634, 704. Heft IV: BWV 648, 699, 683, 737, 682, 701, 700, 645, 668, 691, 690, 647, 681, 680, 646.
Die Choralbearbeitungen des 3. Teils der Klavierübung sind nach dem Originaldruck mit Korr II redigiert worden.

Quellenbewertung

Der Originaldruck ist, wie die textkritische Untersuchung der Quellen ergibt, die einzige erhaltene unabhängige Quelle.
Wir haben keine Anhaltspunkte dafür finden können, daß unter der umfangreichen handschriftlichen Überlieferung einzelne Handschriften am Originaldruck vorbei auf frühere Fassungen zurückgehen.[30]
Bei der textkritischen Untersuchung der einzelnen Exemplare des Originaldrucks und ihrer authentischen Korrekturschichten waren vier Gruppen zu unterscheiden:

---

[30] Wegen der interpolierten Fassung BWV 683a und der gekürzten Fassung BWV 676a vgl. Seite 33 f.

1. Exemplare ohne authentische Korrekturen: Nr. 7 und 15,
2. Exemplare mit Korr I: Nr. 2, 3, 4, 5, 10 und 14,
3. Exemplare mit Korr II: Nr. 6, 11 und 13,
4. Exemplare mit Korr II und III: Nr. 1, 8, 9, 12 und 16.

Das zur vierten Gruppe gehörende Exemplar A 9 hat als einziges noch weitere, über die drei authentischen Korrekturschichten hinausgehende Eintragungen, deren Herkunft allerdings unsicher ist. Es ist nicht unmöglich, daß diese Korrekturen auf ein verlorengegangenes Autograph zurückgehen. Daß einige dieser Zusätze, zumal die Beischriften (vgl. Seite 20), von Bach selbst stammen, läßt sich nicht beweisen, jedoch auch nicht mit letzter Sicherheit ausschließen. Diesem Unsicherheitsfaktor ist dadurch Rechnung getragen worden, daß alle diese zusätzlichen Eintragungen im Kritischen Apparat aufgeführt sind.

Die handschriftlichen Quellen und die Frühdrucke gehen ausnahmslos und ausschließlich auf den Originaldruck zurück. Bei einem Teil der Handschriften, besonders bei umfangreichen oder vollständigen Abschriften, ließ sich mit Hilfe ausgewählter Leitfehler die Korrekturschicht des Originaldruckexemplars nachweisen, das als Vorlage gedient hatte. Als derartige Leitvarianten können die unterscheidenden Korrekturen im Originaldruck (vgl. die Tabelle auf Seite 15) herangezogen werden; davon besonders die Korrekturen in BWV 669, Takt 7; BWV 678, Takt 50; BWV 686, Takt 20; BWV 689, Takt 37 und in BWV 804, Takt 27.

Wo es sich um Abschriften eines oder nur weniger Stücke handelte oder um Abschriften von Stücken, in denen keine Korrekturen angebracht worden sind, war dieser Nachweis nicht möglich.

Im folgenden Schema wird versucht, die Abhängigkeitsverhältnisse der Quellen darzustellen. Eine gewisse Unsicherheit bleibt in der Gruppe derjenigen Handschriften bestehen, in denen die authentischen Korrekturschichten nicht mehr erkennbar sind.

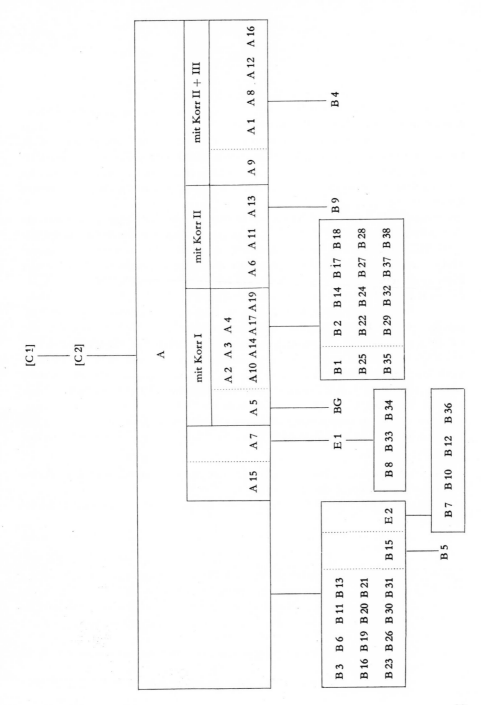

29

Die erste vollständige Ausgabe des 3. Teils der Klavierübung erschien 1853 im 3. Band der BG, jedoch ohne Revisionsbericht. Der besonders für die im selben Band veröffentlichten Inventionen und Sinfonien vielgescholtene[31] Herausgeber C. F. Becker hat für den 3. Teil der Klavierübung als Redaktionsgrundlage und offensichtlich einzige Quelle sein eigenes Exemplar des Originaldrucks A 5 verwendet, das die umfangreiche Korrekturschicht I enthält. Deshalb weist diese Edition nur wenige Fehler auf.

In der von F. C. Griepenkerl besorgten Gesamtausgabe der Orgelwerke Bachs im Verlag Peters wurden die einzelnen Stücke des 3. Teils der Klavierübung auf die Bände III, V, VI und VII verteilt. Die Duette wurden traditionsgemäß den Klavierwerken zugerechnet und in diese Ausgabe nicht mit aufgenommen. Trotz vieler Richtigstellungen (offenbar nach A 1) sind doch noch zahlreiche Fehler des Frühdrucks E 1 von 1804 und seines späteren Nachdrucks von ca. 1815 erhalten geblieben, was auf das Fehlen von Korrekturen in Kühnels Redaktionsexemplar A 7 zurückzuführen ist. Einer Anregung Albert Schweitzers folgend[32], hat derselbe Verlag auf der Grundlage der Griepenkerlschen Ausgaben neben dem Orgelbüchlein, den Sechs und den Achtzehn Chorälen auch den 3. Teil der Klavierübung in der originalen Anordnung der einzelnen Stücke (Ed. Nr. 3948) neu herausgegeben. Die Duette wurden offenbar nach dem damals in der Musikbibliothek Peters befindlichen Originaldruck A 6 hinzugefügt. Da dieses Exemplar für die Duette keine Korrekturen enthält, sind von daher auch einige Fehler übernommen worden.

Von den zahlreichen Ausgaben der Duette seien nur die folgenden drei Kritischen Ausgaben genannt:

1. Von Hans Bischoff in Band IV (1883) seiner Ausgabe der Klavierwerke Bachs, Edition Steingräber, Leipzig.
2. Von Kurt Soldan, Edition Peters (1937), der als Quellen A 1, A 2 und B 14 heranzog.
3. Von Rudolf Steglich im G. Henle Verlag, München–Duisburg (1963), der die Quellen A 2, B 2, B 11, B 14 und B 17 benutzte.

Sowohl Soldan als auch Steglich bezeichnen A 2 als ein vermutlich einer verbesserten 2. Auflage angehörendes Exemplar, ein Irrtum, der daraus erklärlich ist, daß sie die handschriftlichen Korrekturen (Korr I), die nur schwer von den gestochenen Zeichen zu unterscheiden sind, für gedruckte Verbesserungen gehalten haben.

[31] Vgl. Ludwig Landshoff, *Revisionsbericht zur Urtext-Ausgabe der Inventionen und Sinfonien* bei *C. F. Peters*, Leipzig 1933, Seite 47 ff.
[32] Vgl. Albert Schweitzer, *J. S. Bach*, Leipzig (1908), Seite 271.

Zur Entstehungszeit

Die Untersuchung der Quellen hatte ergeben, daß die handschriftliche Überlieferung ausnahmslos auf den Originaldruck zurückgeht. Bei einem so umfangreichen, aus vielen Einzelstücken zusammengesetzten Werk ist das eine ungewöhnliche Lage. Zu erwarten wäre vielmehr, daß die Handschriften auch frühere Fassungen überliefern und die allmähliche Vervollkommnung mindestens einzelner Stücke bis zur endgültigen Druckfassung in mehreren Stadien widerspiegeln würden. So jedenfalls müssen wir uns nach dem Zeugnis der Quellen z. B. die Entstehung der „Siebzehn Choräle" und des zweiten Wohltemperierten Klaviers vorstellen.

Da für die Stücke des 3. Teils der Klavierübung solche früheren Entwicklungsstadien völlig fehlen, darf ex silentio geschlossen werden, daß dieses Werk nicht das Ergebnis einer endgültigen Redaktion bereits lange vorhandener Stücke ist, sondern daß die einzelnen Kompositionen erst kurz vor der Drucklegung entstanden sind.[33] Gestützt wird diese Annahme einer Entstehungszeit kurz vor 1739 durch den stilistischen Befund. Keines der Stücke fordert die Vermutung heraus, daß eine Entstehungszeit erheblich früher, womöglich in der Weimarer Zeit anzunehmen ist, selbst wenn man eine weitgehende Überarbeitung in Betracht zieht.[34] Die konzentrierte, primär linear-kontrapunktische Technik der Choralbearbeitungen, die strenge Konsequenz ihrer formalen Anlage und die Kompliziertheit der thematischen Erfindung sind deutlich Kennzeichen des Bachschen Spätstils.

Zur inneren Ordnung des 3. Teils der Klavierübung

Das Problem der inneren Zusammengehörigkeit der einzelnen Stücke unserer Sammlung ist bereits von Spitta behandelt worden, der sie als „eine zusammenfassende, abschließende Arbeit" in die Reihe der übrigen späten Sammelwerke Bachs stellt.

Welches ist nun die Idee, die diese unterschiedlichen Bestandteile unseres Bandes zusammenfaßt: die freien Formen Präludium und Fuge, die vier Duette sowie die Choralbearbeitungen über die Lieder zur lutherischen Missa und zum lutherischen Katechismus?

Spittas Auffassung des 3. Teils der Klavierübung als einer „musikalischen Verherrlichung der dogmatischen Grundlagen des lutherischen Christentums ... unter dem Gesichtspunkte einer vollständigen Cultushandlung"[35] wurde von Wilhelm Eh-

---

[33] So bereits Spitta, Bd. II, Seite 692.

[34] Vgl. aber die gegenteilige Auffassung Hermann Kellers in: *Die Orgelwerke Bachs*, Leipzig 1948, Seite 199 u. 202.

[35] Bd. II, Seite 693.

mann[36] unter einseitiger Betonung des Liturgischen weitergeführt. Unter eklektischer Heranziehung von Kirchen- und Gottesdienstordnungen des 16. Jh. deutet er die Anordnung als eine rein gottesdienstlich bestimmte Abfolge, in der auch die vier Duette ihren Platz sub communione bekommen. Diese heute nicht mehr haltbare Deutung, die zu dem weitverbreiteten Terminus „Orgelmesse" geführt hat, ist auch mit dem originalen Titel nicht in Einklang zu bringen. Daß die beiden Ordinariumslieder zur Messe (wenn man das Katechismuslied „Wir glauben all" als Lied zum Credo auffassen will, wären es drei Ordinariumslieder) im Titel als *andere Gesaenge* genannt sind, läßt sich kaum mit dem Ordnungsplan eines evangelischen Meßordinariums vereinbaren, der in diesen Liedern gerade das Kernstück der Sammlung sehen müßte.

Wahrscheinlich ist es verfehlt, eine musikalische oder liturgische Leitidee zu suchen, unter der sich alle Stücke des 3. Teils der Klavierübung einordnen ließen. Es ist denkbar, daß Bach mit dieser seiner ersten Veröffentlichung von Orgelmusik ein Kompendium seiner Orgelkunst vorlegen wollte, wobei es ihm weniger darum zu tun war, die Möglichkeiten einer einzigen Kompositionsgattung auszuschöpfen, als vielmehr die formale Vielfalt des Orgelsatzes beispielhaft darzustellen. Die nicht c.f.-gebundenen Formen und die zahlreichen Möglichkeiten der Choralbearbeitung — von der dreistimmigen Fughette über den einfachen figurativ kontrapunktierten Orgelchoral, den großen Orgelchoral pachelbelscher Anlage bis hin zu den komplizierten Formen mit streng kanonischer Arbeit — hätten unter dieser Voraussetzung ihre zwanglose Berechtigung in unserer Sammlung.

Als Anregung für eine solche kompendienartige Anlage des Druckwerkes könnten Bach die Veröffentlichungen französischer Orgelmeister wie Le Bègue, Boivin, Corette, Clérambault, Du Mage, Grigny u. a. gedient haben. Die übliche Publikationsform von Orgelmusik war in Frankreich das „Livre d'Orgue", eine Sammlung mit vorwiegend liturgischer Orgelmusik für die Messe (Versetten zum Kyrie, Gloria, Offertoire, Sanctus, Agnus Dei, Ite missa) und für die Vesper (Versetten zum Magnificat und zu den Hymnen), die öfters, vor allem, wenn sie keinen c.f. enthalten, nicht mehr bestimmten liturgischen Texten zugeordnet werden, sondern in „Suites" als Reihung mehrerer Versetten in der gleichen Tonart zusammengefaßt sind. In all diesen Sammlungen kehren typische Satzstrukturen immer wieder, die primär von ganz bestimmten Registriergepflogenheiten ausgehen.

Von diesen Sammlungen kannte Bach mindestens eine sehr genau: das *Premier Livre d'Orgue* von Nicolas de Grigny aus dem Jahre 1699, von dem er sich eigenhändig eine Kopie anfertigte.[37] Grigny verwendet in seinem Livre d'Orgue, das aus

---

[36] Vgl. Wilhelm Ehmann, *J. S. Bachs „Dritter Theil der Clavier Übung" in seiner gottesdienstlichen Bedeutung und Verwendung* in: Musik und Kirche, 5. Jg., 1933, Seite 77 ff.

[37] Die in der Stadt- und Universitätsbibliothek Frankfurt am Main unter der Signatur *Mus Hs 1538* aufbewahrte Hs. (den Schriftformen nach zwischen 1708 und 1713 geschrieben) enthält von der Hand Bachs außer dem vollständigen *Livre d'Orgue* von Grigny die Verzierungstabelle J. Henry d'Angleberts aus dessen *Pièces de Clavecin* (1689) und die *Six Suittes de Clavesin* von Charles Dieupart. Es könnte Johann Gottfried Walther gewesen sein, der Bach mit dieser Musik bekanntgemacht hat. Wir kennen einige Kopien französischer Orgelmusik von der Hand Walthers (vgl.

23 Versetten zur Messe und 20 Hymnen-Versetten besteht, neben den in der französischen Orgelmusik üblichen Satzstrukturen neunmal eine besondere Art des fünfstimmigen Orgelsatzes, vornehmlich für Fugen: Die vier oberen Stimmen werden paarweise auf zwei verschieden registrierten Manualen gespielt, der Baß im Pedal — *Deux dessus de Cornet* (in einem Falle auch *Fond d'Orgue*), *deux tailles de Cromorne et pedalle de Flûte*. Diese nur bei Grigny nachweisbare Satzstruktur ist im 3. Teil der Klavierübung zweimal anzutreffen: in BWV 678 und 682.[38]

Diese auffällige Tatsache sowie der für Bach ungewöhnliche zweistimmige Orgelsatz in den Duetten als Parallele zu den drei Duos in Grignys Livre d'Orgue lassen vermuten, daß hier eine ausdrückliche Anknüpfung vorliegt. Hinzu kommt eine weitere Parallele: Bachs Präludium und Fuge BWV 552 mit dem Zusatz *pro Organo pleno* und den Echopartien im Präludium könnten als Entsprechung zu Grignys *Dialogues sur les Grands Jeux* verstanden werden.

Ihrem Wesen nach ähnliche Sammlungen sind ferner der III. Teil der *Tabulatura Nova* (1624) von Samuel Scheidt sowie die *Fiori Musicali* von Girolamo Frescobaldi aus dem Jahre 1635. Von dem letzten besaß Bach ebenfalls eine Kopie (ehemals in der Bibliothek der Hochschule für Musik in Berlin mit dem Possessorenvermerk *J. S. Bach. 1714*).

Bachs 3. Teil der Klavierübung unterscheidet sich jedoch von den oben genannten Sammlungen hauptsächlich dadurch, daß hier kein Repertoire liturgischer Gebrauchsmusik, sondern nur Musterbeispiele gottesdienstlicher Orgelmusik geboten werden. Außerdem beschränkt sich Bachs Sammlung in ihren Choralbearbeitungen auf eine kleine Auswahl besonders gewichtiger evangelischer Kirchenlieder.

Eine wichtige, bisher nur partiell in Angriff genommene Aufgabe wäre es, den vielfältigen Symbolismen im 3. Teil der Klavierübung in dem schon von Spitta angedeuteten Sinne der musikalischen Verherrlichung der christlichen Dogmen nachzugehen. Das würde allerdings weit über den Rahmen der hier vorliegenden Edition hinausgehen.

Zur Frage der Echtheit von BWV 676a und 683a[39]

Beide hier in Frage stehenden Fassungen sind nur in notorisch unzuverlässigen Quellen überliefert: BWV 676a in [D 3] (Hs. verschollen, abgedruckt in BG 40, Seite 208f.); BWV 683a in B 5, B 15 und [D 3] (abgedruckt in Bd. V der Griepenkerlschen Ausgabe bei Peters, Seite 109ff., nicht in BG). Diese Quellen überliefern so viele unechte Choralbearbeitungen unter dem Namen Bachs, daß ihre Glaubwürdigkeit in jedem Falle gering zu bewerten ist.

F. W. Riedel, *Quellenkundliche Beiträge zur Geschichte der Musik für Tasteninstrumente in der 2. Hälfte des 17. Jh.*, Kassel–Basel 1960, Seite 56). Auch Walthers *Musicalisches Lexicon* verrät genauere Kenntnis der französischen Orgelkomponisten.

[38] Vgl. die stark verwandte Technik in BWV 562 sowie J. G. Walthers Choralbearbeitung „Nun bitten wir den heiligen Geist" (DDT, 1. Folge, Bd. 26/27, Seite 176) mit der gleichen Behandlung des fünfstimmigen Orgelsatzes.

[39] Mitgeteilt im Anhang des vorliegenden Kritischen Berichtes.

In beiden Fällen sind jeweils drei Möglichkeiten ihres Verhältnisses zu den entsprechenden Fassungen im 3. Teil der Klavierübung in Betracht zu ziehen: Entweder handelt es sich um Frühfassungen, die zur Aufnahme in den 3. Teil der Klavierübung umgearbeitet wurden, oder um spätere Umarbeitungen Bachs nach 1739, oder aber es handelt sich um Bearbeitungen von fremder Hand.

BWV 676a, ein 35 (47) Takte langes Trio mit dem durchgehend im Sopran liegenden c.f., einer figurativ bewegten Mittelstimme und einer ruhigen Pedalstimme, stimmt im wesentlichen mit den entsprechenden c.f.-Partien sowie mit dem Schluß von BWV 676 überein. Die Choralzeilen sind durch kurze Zwischenspiele von 2 Takten Länge, die keine Entsprechungen in BWV 676 haben, voneinander getrennt. Diese Zwischenspiele mit ihrer schwachen Tonleitermelodik — besonders in Takt 2, 7–9 und 14 — erwecken den Eindruck nachträglicher Einpassung. Der Beginn des c.f. mit zwei Sechzehnteln, die Andeutung kanonischer Technik zwischen c.f. und Pedal und der vollkommen gleichlautende ausgedehnte Schluß mit seiner hier unpassend frei einsetzenden Oberstimme wirken innerhalb dieses kurzen Orgelchoral-Trios als Fremdkörper, während sie innerhalb des großen Trios BWV 676 vollkommen legitimiert erscheinen. Die gelegentlichen Abweichungen zwischen beiden Fassungen sind in BWV 676a als glättende Simplifizierungen einer späteren Zeit erklärlich, einer Zeit, die zudem noch Indizien in der Form der Ornamentik — in Takt 10, 21 und 28 — hinterlassen hat. Diese Beobachtungen zusammen mit dem singulären Vorhandensein in [D 3] dürften mit einiger Sicherheit die Autorschaft Bachs für BWV 676a ausschließen.

BWV 683a ist im Gegensatz zu BWV 676a eine gegenüber der Fassung im 3. Teil der Klavierübung längere, durch interpolierte Zeilenzwischenspiele erweiterte Fassung, die in ihren c.f.-Teilen bis auf zwei geringfügige Differenzen (in Takt 13 im c.f. und in Takt 23) völlig mit BWV 683 übereinstimmt.

Der Annahme, daß es sich hier um eine Frühfassung handele, daß Bach also, wie Keller annimmt[40], die Zwischenspiele für die Aufnahme dieses Stückes in den 3. Teil der Klavierübung gestrichen habe, steht die Erfahrung entgegen, daß Bach bei der Überarbeitung eines älteren Werkes nie kürzt, sondern häufig in formal planvoller Weise erweitert[41] und in den übernommenen Teilen verbessernde und bereichernde Lesarten schafft. Das Fehlen solcher Varianten spricht in gleicher Weise dagegen, daß BWV 683a eine Überarbeitung Bachs nach 1739 sei, abgesehen davon, daß die interpolierten Teile ungleich schwächer sind. Die Häufung von Sequenzen, die inkonsequente Stimmigkeit, die formale Unausgewogenheit in der Anordnung der Zwischenspiele (die 2.–4. c.f.-Zeile sind ohne Einschübe geblieben) lassen kaum einen Zweifel daran, daß BWV 683a eine Bearbeitung von fremder Hand ist.[42]

---

[40] Vgl. Hermann Keller, *Die Orgelwerke Bachs*, Leipzig 1948, Seite 206.
[41] Vgl. z. B. BWV 533; 545; 651; 667; 879, 2; 886, 2 und 951.
[42] Vgl. auch BWV 691a, eine ebenfalls mit interpolierten Zwischenspielen versehene Fassung, deren Unechtheit wegen der Verwendung viel späterer Stilelemente evident ist. BWV 691a ist in denselben Quellen (B 15 und [D 3]) überliefert.

IV. SPEZIELLE ANMERKUNGEN

Vorbemerkung

1. Unserer Ausgabe liegt der Originaldruck (Quelle A) zugrunde, auf den sich alle Anmerkungen beziehen.

2. Der Kritische Apparat verzeichnet als Ergänzung der Quellenbeschreibung auch die Abweichungen der einzelnen Exemplare des Originaldrucks untereinander, die durch die unterschiedlichen authentischen Korrekturschichten entstanden sind, sowie die singulären Eintragungen in A 9.

3. Zur Lokalisierung der Stellen, auf die sich die Anmerkungen beziehen, wird neben der Taktzahl die jeweils gemeinte Stimme genannt (mit I bis VI von oben nach unten gezählt). Gelegentlich notwendige Abweichungen von diesem Zitierungsschema sind ohne weiteres verständlich.

4. Im Kritischen Apparat sind nicht verzeichnet:

    a) Zusätze des Herausgebers, die im Notentext unserer Ausgabe als solche kenntlich gemacht sind.

    b) Abweichungen des Originaldrucks von unserer Ausgabe hinsichtlich der Balkensetzung und Behalsung, sofern sie nicht für die Stimmführung relevant oder Bestandteil einer Korrekturschicht sind.

    c) Abweichungen in der Akzidenziensetzung, soweit sie nur durch die Umschrift der zeitgenössischen in die moderne Orthographie bedingt sind.

    d) Abweichungen in der rhythmischen Notierung längerer Notenwerte, wenn etwa beim Akkoladenwechsel Noten oder Pausen unterteilt sind (♩ ♩ statt ♩; ↑ ↑ statt ▬ o. ä.).

    e) Im Originaldruck fehlende Haltebögen beim Akkoladen- oder Seitenwechsel, wenn einer der beiden zu setzenden Bögen vorhanden und dadurch der Text gesichert ist.

    f) Die im Originaldruck häufig anzutreffende Pedalzuweisung *Pedal* oder *Ped.*, da in unserer Ausgabe wegen des gesonderten Pedalsystems keine Unklarheiten bestehen.

Praeludium pro Organo pleno. BWV 552, 1

Die Stimmenbezeichnungen I–IV für die Manualstimmen zählen die jeweils vorhandenen Stimmen von oben nach unten und gelten wegen der unterschiedlichen Stimmenzahl nur für den betreffenden Taktteil.

Einige fehlende Stakkatopunkte in den Takten 33 ff. und 112 ff. wurden ergänzt.

Die Pedalstellen mit dem Rhythmus ♩ ♩. ♫. ♩ stehen teils ohne, teils miteinander widersprechenden Artikulationsbezeichnungen: ♩ ♩. ♫. ♩ und ♩ ♩. ♫. ♩ .

Da Bachs Absicht unklar bleibt, wurden diese Stellen in der inkonsequenten Form des Originaldrucks belassen.

Die dynamischen Bezeichnungen *piano* und *forte* sind im Originaldruck nicht abgekürzt.

Takt	Stimme	Bemerkung
4	I–III	Beide Bögen erst in Korr I und II
20	I	Bogen erst in Korr I und II
20/21	Ped.	2. Takthälfte: Bogen fehlt. Jedoch läßt die Form des Haltebogens in der IV. Stimme in mehreren Wellen vermuten, daß der Stecher zwei verschiedene Bögen, nämlich den Haltebogen in der IV. Stimme und den Artikulationsbogen der im gleichen System notierten Pedalstimme zusammengezogen hat
28	II	Augmentationspunkt hinter der 1. Note erst in Korr I und II
29	II	Ebenso
47	I	Vorschlagsnote zur 5. Note: a′; in A 5 und A 9 in b′ verbessert
64	III	2. Takthälfte fehlerhaft: ♩. ⁊ ⁊ ♪
68	I	Augmentationspunkt hinter der 2. Note fehlt; in einigen Exemplaren ergänzt
114	III	♮ vor der 1. Note fehlt
124	I	Vorschlagsnote zur 5. Note fehlt (vgl. Takt 45)
126	I	Ebenso
134	Ped.	1. Note fehlerhaft G. In einigen Exemplaren durch Rasur korrigiert
139	I	Hilfslinie durch die 4. Note fehlt
140	III	Der Hals für das letzte Viertel fehlt:
155	I	♮ vor der 2. Note in A 9 zugesetzt
178	Ped.	Fehlende Hilfslinie durch die 1. Note durch Korr I ergänzt
183	III	Vorletztes Sechzehntel: fehlende Sechzehntelpause in A 9 ergänzt
193/4	IV/Ped.	Der in der 2. Takthälfte vorhandene Bogen läßt sich sowohl als Haltebogen auf die IV. Stimme wie als Legatobogen auf das Ped. beziehen. Vgl. Takt 20/21
197	IV	Augmentationspunkt hinter der 1. Note fehlt

„Kyrie, Gott Vater in Ewigkeit" BWV 669

Die kleinen Teilstriche zur Markierung der Taktmitte des Doppeltaktes fehlen in A gelegentlich. Sie haben dort durchschnittlich die Länge eines Spatiums und stehen in verschiedener Höhe im System, manchmal doppelt übereinander. In unserer Ausgabe sind sie konsequent und in Anlehnung an den Originaldruck des sechsstimmigen Ricercars aus dem Musiaklischen Opfer von der 2. bis zur 4. Linie des Systems reichend gesetzt worden.

Die Breves stehen in A als ⊠ in der Mitte des Taktes. Die Trillerzeichen auf der jeweils vorletzten c.f.-Note der Choralzeilen in den Takten 14, 21, 30 und 39 stammen aus Korr I und II. Sie fehlen also in A 7 und A 15 sowie in E 1. Korr I bringt sie meist als ⌣, Korr II als ⌣. A 9 enthält eine hs. Beischrift zu Beginn des c.f. in Takt 5: *Choral forte*.

Takt	Stimme	Bemerkung
7	III	Ursprüngliche Lesart vor Korr I und II (A 7 und A 15):

Vermutlich der Spielbarkeit wegen geändert

Takt	Stimme	Bemerkung
16	III	Das ♮ vor der 5. Note nur in Korr II
21	I	Triller fehlt in einigen Exemplaren mit Korr I
29	IV	4. Note Halbe statt Ganze

„Christe, aller Welt Trost" BWV 670

Wegen der Taktteilungsstriche vgl. die Bemerkung zu BWV 669. Die Triller in der c.f.-Stimme in den Takten 15, 34, 41, 50 und 59 sind wiederum erst in Korr I und II hinzugesetzt, in Korr I meist als ⌣, in Korr II als ⌣.

A 9 hat wieder die Beischrift *Choral forte* über dem Beginn des c.f. in Takt 7.

Takt	Stimme	Bemerkung
15	III	Der Triller fehlt in A 5 (daher auch in BG) und einigen weiteren Exemplaren mit Korr I
22	II	A 9: ♮ vor der 3. Note durch Rasur getilgt, dafür ♮ vor der 4. Note. Der Kustos nach der ersten Takthälfte (Akkoladenwechsel) hat das ♮ behalten. Die größere Geschmeidigkeit der Stimmführung und Harmonik, die durch diese Lesart erzielt wird, geht zu Lasten der motivischen Konsequenz, die hier Tonwiederholung fordert
24	II	A:

In unserer Ausgabe Konjektur des Herausgebers, um die rhythmische Inkonsequenz zu beseitigen, die hier besonders

Takt	Stimme	Bemerkung
		auffällt, da einen halben Takt vorher im Sopran die normale Rhythmisierung dieses häufig auftretenden Motivs vorausgeht
31	I	Vor der 4. Note steht kein Akzidens. Auch mit Rücksicht auf den Alt einen halben Takt vorher ist deshalb wohl d'', nicht des'' zu lesen
54	I	Vor der 7. Note steht kein Akzidens. Nach alter Orthographie ist deshalb wohl as' zu lesen, obgleich bei flüchtiger Schreibweise das Versetzungszeichen nach nur einer Zwischennote bisweilen auch als weiterhin geltend betrachtet wird
58	I	Vor der 8. Note steht kein Akzidens. Jedoch läßt der auffällige Zwischenraum zwischen der 7. und 8. Note vermuten, daß der Stecher beim Durchpausen das im Manuskript vorhandene ♭ vergessen hat. Es findet sich hs. in A 9

„Kyrie, Gott heiliger Geist" BWV 671

Wegen der Taktteilungsstriche vgl. die Bemerkungen zu BWV 669.

Takt	Stimme	Bemerkung
15	III	Vor der 8. und 9. Note stehen keine Akzidenzien. Nach alter Orthographie sind sie deshalb als g' (evtl. auch ges') und as' zu lesen. Zwischen beiden Noten ist jedoch ein verhältnismäßig großer Zwischenraum, so daß ebenso wie in BWV 670, Takt 58 ein Stichfehler durch Auslassen eines Akzidens (hier ♮) zu vermuten ist. Dafür spricht das auch in A stehende ♭ vor der 3. Note von Stimme I im nächsten Takt. A 9 ergänzt ♮♮ vor der 8. und 9. Note
26	III	Augmentationspunkt hinter der 1. Note fehlt
34	II/III	Stimmenverlauf in der zweiten Takthälfte vom Herausgeber konjiziert. In A vermutlich wegen des fehlenden Platzes für die Pausen von Stimme II:

Takt	Stimme	Bemerkung
51	IV	♮ vor der 1. Note fehlt
54	V	Fehlende Pause durch Korr I und II ergänzt
56/57	V	Haltebogen fehlt (außer in A 5, wo er vermutlich erst von C. F. Becker bei der Redaktion von BG III zugesetzt worden

Takt	Stimme	Bemerkung
		ist); in Analogie zu den beiden vorausgehenden Kyrie-Bearbeitungen ergänzt
58	V	Fehlende 1. Note durch Korr I und II ergänzt

„Kyrie, Gott Vater in Ewigkeit" BWV 672

Takt	Stimme	Bemerkung
1	III	Fehlender Notenhals nach unten durch Korr I ergänzt
25	II	Fehlende Hilfslinie bei der 1. Note durch Korr I ergänzt und bis zur Hilfslinie der 2. Note durchgezogen. Ebenso A 9

„Christe, aller Welt Trost" BWV 673

Takt	Stimme	Bemerkung
5	IV	Augmentationspunkt hinter der Viertelpause fehlt
16/17	II	Haltebogen singulär in A 9 ergänzt

„Kyrie, Gott heiliger Geist" BWV 674

Takt	Stimme	Bemerkung
1	II	Halbe- statt Ganzepause
4	III	Ebenso
5	III	Augmentationspunkt hinter der Viertelpause fehlt

„Allein Gott in der Höh sei Ehr" BWV 675

Die Triolenziffern sind in NBA abweichend vom Originaldruck nur jeweils zur ersten von mehreren aufeinanderfolgenden Triolen gesetzt und werden erst nach einer nichttriolischen Partie wiederholt.

Takt	Stimme	Bemerkung
2–6	III	Im Altschlüssel notiert
5	I	Triolenziffer über dem 3. Achtel durch Korr I zugesetzt
6	I	Triolenziffer über dem 5. Achtel durch Korr I zugesetzt
9–10	III	Von der 5. Note in Takt 9 bis zur 1. Note in Takt 10 im Altschlüssel notiert
10	I	Triolenziffer über dem 1. Achtel durch Korr I zugesetzt
13	I	Fehlender Haltebogen zwischen 9. und 10. Note durch Korr I ergänzt. Fehlt in A 5, jedoch vorhanden in A 9
16	III	Korr I ergänzt vor der 2. Note ♮, ebenso A 9
20 1. Volta	III	3. und 4. Note im Altschlüssel notiert
43	III	Triolenziffer über dem 5. Achtel durch Korr I zugesetzt

„Allein Gott in der Höh sei Ehr" BWV 676

Auch in A auf drei Systemen notiert. Für Stimme I ist mit Ausnahme von Takt 33, 1. Note bis Takt 35, 3. Note, die im Altschlüssel stehen, der Violinschlüssel vorgezeichnet. Stimme II wechselt zwischen Violin- und Altschlüssel. Der Altschlüssel ist in dieser Stimme vorgezeichnet von Takt 33, 2. Note bis Takt 78, 6. Note; von Takt 80, 1. Note bis Takt 88, 1. Note; von Takt 91, 2. Note bis Takt 96, 6. Note; von Takt 104, 1. Note bis Takt 106, 6. Note; von Takt 122, 1. Note bis zum Schluß.

Takt	Stimme	Bemerkung
15	III	Haltebogen zwischen 3. und 4. Note durch Korr I ergänzt. (Fehlt in A 3)
32	II	Das Trillerzeichen stammt aus Korr I. Es steht dort teils als ⟋⟋, teils als ⟋ ;
32	III	Fehlende Hilfslinie unter der 4. Note durch Korr I ergänzt. Auch in A 9 und A 11
34	I	In A 9 Ornamentzeichen ⟋ (Doppelschlag) über der 10. Note
48	II	12. Note: a'. Korrektur dieser Note in e' schon in E 2, BG und Peters nach der Parallelstelle Takt 15
61	I	Fehlender 2. Haltebogen beim Seitenwechsel durch Korr I ergänzt
79	I	A 9: ⟋ über der 2. Note
117	II/III	Das Trillerzeichen steht in A über dem mittleren System, wo es wenig sinnvoll ist. Wir folgen der Anregung von E 2, es der 3. Note im Pedal zuzuordnen. Vgl. Stimme I, Takt 121

Fughetta super „Allein Gott in der Höh sei Ehr" BWV 677

Takt	Stimme	Bemerkung
3	II	Die Stakkatopunkte über der 1.–4. Note fehlen in A. Sie wurden analog Stimme I, Takt 2 ergänzt
4	III	Ebenso

„Dies sind die heilgen zehen Gebot" BWV 678

Auch in A auf drei Systemen notiert. Die Halbtaktpausen stehen dort ohne Augmentationspunkt.

Takt	Stimme	Bemerkung
9	V	Hilfslinie durch die 6. Note erst durch Korr I und III ergänzt
10	II	2. Viertelpause fehlt
11	I	Achtelpause nach der 1. Note fehlt. In A 9 ergänzt
12	II	Viertelpause durch Korr I und III ergänzt
13	IV	Halbe- statt Ganzepause
14	I u. II	Alle sechs Artikulationsbögen durch Korr I und III ergänzt

Takt	Stimme	Bemerkung
14	IV	Halbe- statt Ganzepause
15	IV	Dasselbe
36	IV	Augmentationspunkt nach der Note fehlt. In A 2 ergänzt
42	II	2. Viertelpause fehlt. In A 2 zugesetzt
43	V	Hilfslinie durch die 1. Note von Korr I und III ergänzt
50	V	Hilfslinie durch die 6. Note (C) von Korr I und III ergänzt Ohne diese Hilfslinie wäre D zu lesen. So E 2 und der von A 7 abhängige Frühdruck E 1
53	I	Hilfslinie durch die 4. Note von Korr I ergänzt
56/57	III	Haltebogen in A von der 2. Note in Takt 56 zur 1. Note in Takt 57. Sowohl der Choraltext als auch die kanonische Entsprechung fordern jedoch Tonwiederholung

Fughetta super „Dies sind die heiligen zehen Gebot" BWV 679

Halbtaktpausen stehen in A ohne Augmentationspunkt.

Takt	Stimme	Bemerkung
19	II	Hinter der 2. Viertelpause fehlt der Augmentationspunkt
20	IV	♩ 𝄾 𝄾 ♪ ♩. 𝄾 𝄾 ♪ │
22	IV	♩ 𝄾 𝄾 𝄾 ― │

„Wir gläuben all an einen Gott" BWV 680

Takt	Stimme	Bemerkung
4	II	Fehlender Sechzehntel-Balken zwischen 2. und 3. Note in fast allen erhaltenen Exemplaren des Originaldrucks ergänzt
14	I	Hilfslinie durch die 2. Note fehlt
20	IV	Viertelpause fehlt. In einigen Exemplaren nachgetragen
34	I	E 2 und die davon abhängigen Hss. haben ♭ vor der 2. Note und ♮ vor der 5. und 8. Note. Vgl. die Parallelstelle in Takt 69
63	I	Hilfslinie durch die 1. Note fehlt
69	I	A 7: ♭ vor der 2. Note mit roter Tinte. Vermutlich Konjektur A. Kühnels, um das in A stehende ♮ vor der 5. Note zu rechtfertigen. So auch E 1 und Peters. E 2 übernimmt dies ebenfalls und gleicht daran die Parallelstelle Takt 34 an
100	I u. II	Augmentationspunkte fehlen. In A 9 zugesetzt

Fughetta super „Wir gläuben all an einen Gott" BWV 681

Takt	Stimme	Bemerkung
7	III	Augmentationspunkt hinter der 1. Note sowie Hilfslinie durch die 2. Note von Korr I und III ergänzt

Takt	Stimme	Bemerkung
8	III	Kein ♮ vor der 7. Note, jedoch auffälliger Zwischenraum, der ein Versehen des Stechers vermuten läßt
11	I	Augmentationspunkt hinter der letzten Note fehlt

„Vater unser im Himmelreich" BWV 682

Auch in A auf drei Systemen notiert. Gelegentlich fehlende Stakkatopunkte und Artikulationsbögen wurden nach Analogie ergänzt. In Takt 5, 23, 56 und 60 sind Trillerzeichen und Artikulationsbogen ineinander gezogen: ⌢ u. ä. A 9 enthält zweimal die Beischrift *Choral* zur jeweils ersten c.f.-Note in Takt 11 (System I) und Takt 13 (System II). Triolenziffern stehen im Originaldruck nur bei den Triolen der Takte 10, 11 und 14.

Takt	System	Bemerkung
34	II	Zweiunddreißigstel-Balkenstück fälschlich auch an der letzten Note
37	I	Dasselbe an 3. Note
41	III	Dasselbe an 9. Note
51	II	Bogen über der 3. bis 5. Note, die jedoch bereits mit Stakkatopunkten versehen sind
55–61	II	Von der letzten Note in Takt 55 bis zur letzten Note in Takt 61 im Violinschlüssel notiert
63	I	Stakkatopunkte über der 4. und 5. Note doppelt

„Vater unser im Himmelreich" BWV 683

Takt	Stimme	Bemerkung
1	III	Augmentationspunkt hinter der Viertelpause fehlt
5	I	Augmentationspunkt hinter der 1. Note fehlt
6	I	Ebenso

„Christ unser Herr zum Jordan kam" BWV 684

Die auf Seite 48 und 49 des Originaldrucks (Stecher I) fehlende Pedalbezeichnung ist hs. in A 9 durch Beischriften *Pedal* oder *pedal* bei allen c.f.-Einsätzen (Takt 23, 1. und 2. Volta; Takt 30, 38, 48 und 56) ergänzt.

Takt	Stimme	Bemerkung
23, 2. Volta	III	Viertelpause durch Korr I und III ergänzt
24	III	Halbepause durch Korr I und III ergänzt
30	III	A: 4. Note: c. In A 9 Rasur und in geändert.

Takt	Stimme	Bemerkung
		Gemeint ist sicher As. Diese Änderung bedeutet eine erheblliche Verbesserung des Textes, so daß die nicht sicher zu beantwortende Frage nach ihrer Authentizität zweitrangig ist
35	c.f.	Halbe- statt Ganzepause
54	I	Fehlende Hilfslinie durch die 2. Note in einigen von Korr I erfaßten Exemplaren ergänzt
61	III	♮ vor der 2. Note fehlt, jedoch auffälliger Zwischenraum, so daß ein Versehen des Stechers vermutet werden kann
63–64	—	Oberes System im Altschlüssel notiert. Der Altschlüssel ist von Korr I und III verdeutlicht worden

"Christ unser Herr zum Jordan kam" BWV 685
Keine Bemerkungen

"Aus tiefer Not schrei ich zu dir" BWV 686

Wegen der Taktteilungsstriche vgl. die Bemerkung zu BWV 669. In A 9 fünfmal die Beischrift *Choral* jeweils zur ersten Note einer c.f.-Zeile in der oberen Pedalstimme (Takt 9, 17, 27, 37 und 47).

Takt	Stimme	Bemerkung
13	II/III	Eine Halbepause zuviel
20	IV	♯ vor der 1. Note erst in Korr I und III
22	I/II	Halbe- und Ganzepause zuviel
32	IV	Halbe- statt Ganzerpause
43	II	Letzte Note Viertel statt Halbe. In A 5, A 9, A 10 und A 14 verbessert in die von NBA gebotene Lesart;

A 2: [Notenbeispiel] A 7: [Notenbeispiel]

Takt	Stimme	Bemerkung
45	IV	Achtelbalken zwischen 5. und 6. Note von Korr I und III ergänzt
46	IV	Notenhals zur letzten Note fehlt
52	VI	Notenkopf der 4. Note (d) erst in Korr I und III
53	VI	♯ vor der 2. Note erst in Korr I und III.

"Aus tiefer Not schrei ich zu dir" BWV 687

Takt	Stimme	Bemerkung
25	IV	Haltebogen erst in Korr I
46	IV	Sechzehntel-Balkenstück zur letzten Note fehlt
48	IV	Hilfslinie zur 4. und 5. Note durch Korr I ergänzt

Takt	System	Bemerkung
60	III	2. Note: Durch ungenaue Notierung in A: könnte man eine fehlende Hilfslinie und damit die Lesung cis' vermuten. So alle bisherigen Ausgaben. Die richtige Lesung h ist durch thematische Notwendigkeit gesichert
69	IV	1. Note: fis. In A 5, A 7 und A 9 korrigiert
73	V	Fehlende 3. Note und ♯ (Ais) durch Korr I sowie in A 7 und A 9 zugesetzt

„Jesus Christus unser Heiland, der von uns den Zorn Gottes wandt" BWV 688

Takt	Stimme	Bemerkung
27	II	♯ vor der 4. Note durch Korr I ergänzt
30–32	II	Im Violinschlüssel notiert
32	I	Wechsel in den Altschlüssel
33	II	Wechsel in den Altschlüssel
43	I	Von der 10. Note an wieder im Violinschlüssel notiert
47	II/c.f.	Wechsel zurück in den Baßschlüssel
114	II	♯ vor der 5. Note fehlt.

Fuga super „Jesus Christus unser Heiland" BWV 689

Takt	Stimme	Bemerkung
9/10	III	Haltebogen nur in A 9 und A 10 ergänzt
17/18	II	Haltebogen erst in Korr I
27	II	Warnungsakzidens ♮ vor der 1. Note nur hs. in A 9
27/28	IV	Haltebogen durch Korr I und in A 9 ergänzt
34	III	Haltebogen fehlt
37	II	Achtelbalken zunächst fehlerhaft zur 3. und 4. Note statt zur 2. und 3. Note; richtiggestellt durch Korr I und in A 9
62	IV	♮ vor der 3. Note fehlt
65/66	II	Haltebogen nur hs. in A 9

Duetto I BWV 802

Takt	Stimme	Bemerkung
11	II	♯ vor der 9. Note fehlt. Vgl. jedoch Takt 53
41	I	Erster Haltebogen beim Seitenwechsel durch Korr I ergänzt
44/45	II	Haltebogen in mehreren Exemplaren ergänzt

Duetto II BWV 803

Die zwischen ∾ und ⦚ ohne ersichtlichen Grund wechselnde Schreibweise dieses Ornamentzeichens wurde in ∾ vereinheitlicht. Die Mordente in Takt 52 und 111 haben, obwohl sicher kurze Mordente gemeint sind, die für Balthasar Schmid typische Form: ᷉ . (Vgl. auch BWV 552, 2, Takt 117 sowie zahlreiche Mordente in der ebenfalls von Schmid gestochenen Klavierübung BWV 988.)

Die Artikulationsbögen sind vermutlich erst nach Fertigstellung der Druckplatten mit dem Stichel nachgetragen worden. Sie sind dünner und flacher als normal und in zwei Fällen (Takt 52/53 und 53/54) zu lang geraten.

Takt	Stimme	Bemerkung
37	II	Achtelpause durch Korr I ergänzt
38	II	Bogen über e–f–gis erst durch Korr I (jedoch nicht in A 5) und in A 9 ergänzt
85/86	II	Bogen über As–H–c erst durch Korr I (jedoch nicht in A 4 und A 14) und in A 9 ergänzt

Duetto III BWV 804

Die Stakkatozeichen sind, ohne daß eine besondere Unterscheidung gemeint sein könnte, recht unterschiedlich, als Punkt, Keil oder Strich ausgefallen. Wir geben sie einheitlich als Punkte wieder. Einige fehlende Punkte wurden vom Herausgeber ergänzt.

Takt	Stimme	Bemerkung
21	II	Vor der vorletzten Note ursprünglich ♯; noch im Stich korrigiert in ♮
27	II	5. Note zunächst h; durch Korr I und in A 9 verbessert in a
37	II	Warnungsakzidens ♯ vor der 13. Note nur hs. in A 9
38	I	Über der 1. Note: ᷉ . (Vgl. die Bemerkungen zur BWV 803)
39	I, II	Keine Augmentationspunkte

Duetto IV BWV 805

Wegen der Stakkatozeichen vgl. die Bemerkungen zu BWV 804. Einige fehlende Punkte wurden vom Herausgeber ergänzt. Stimme II ist von Takt 79, 2. Note bis Takt 105, 5. Note im Altschlüssel notiert.

Takt	Stimme	Bemerkung
11	II	Vor der 3. Note zunächst ♯; in ♮ korrigiert durch Korr I und in A 15
38	II	Über 4. Note: ᷉
77	II	Über 2. Note: ᷉
78	I	♭ vor der 7. Note erst durch Korr I ergänzt
92	II	Über 2. Note: ᷉
95	II	Über 4. Note: ᷉
103	I	Über 2. Note: ᷉

Fuga à 5. BWV 552, 2

Halbtaktpausen im $^6/_4$- und im $^{12}/_8$-Takt stehen in A ohne Augmentationspunkt.

Takt	Stimme	Bemerkung
24	II	Haltebogen erst in Korr I und in A 9 ergänzt
31/32	III/IV	Fehlerhafter Haltebogen von der 2. Note der III. Stimme in Takt 31 zur 1. Note der IV. Stimme in Takt 32
32/33	III	Haltebogen erst durch Korr I ergänzt
36/37		Kein Taktstrich
54	IV	Haltebogen erst durch Korr I ergänzt
74	II	♮ vor der 3. Note erst durch Korr I ergänzt
81/82		Kein Taktstrich
85	III	Augmentationspunkt hinter der 10. Note durch Korr I ergänzt
90	III	Augmentationspunkt hinter der Viertelpause fehlt
92	V	Ebenso
96	II	Augmentationspunkt hinter der 2. Viertelpause fehlt
98	II	Augmentationspunkt hinter der 2. Note fehlt
99	III	Augmentationspunkt hinter der Viertelpause fehlt
107	V	Ebenso
108	V	Ebenso
108	IV	Zweiter Haltebogen beim Akkoladenwechsel durch Korr I ergänzt
109	III	Nach der punktierten 2. Note überflüssige Achtelpause
110	II	Augmentationspunkt hinter der 7. Note fehlt
113	IV	Augmentationspunkt hinter der Viertelpause fehlt
114	II	Klärung der Stimmführung durch Korr I und in A 9: Tilgung der nach oben geführten Kauda der punktierten halben Note durch Rasur und neuer Notenhals nach unten
117	I	Ornamentzeichen zur 1. Note: ⌣ (Vgl. die Vorbemerkungen zu BWV 803)
117	III	A 9: Ornamentzeichen zur 2. Note: ⌣

ANHANG

Die vermutlich nicht von Bach stammenden Fassungen

Allein Gott in der Höh sei Ehr
BWV 676a

und

Vater unser im Himmelreich
BWV 683a

Allein Gott in der Höh sei Ehr BWV 676a

Vater unser im Himmelreich BWV 683a

Notentext und Kritischer Bericht dieser Ausgabe sind ursprünglich als Dissertation zur Erlangung der Doktorwürde der Philosophischen Fakultät der Universität Hamburg vorgelegt worden.

Vor allem hat der Verfasser seinem akademischen Lehrer, Herrn Prof. Dr. Georg von Dadelsen, für seinen wohlwollenden und hilfreichen Rat beim Zustandekommen dieser Arbeit herzlich zu danken. Weiterhin gilt der Dank des Herausgebers den Herren Dr. Alfred Dürr und Dr. Dietrich Kilian (Göttingen) sowie Herrn Walter Emery (London) für ihre liebenswürdige Unterstützung mit Rat und Tat; desgleichen allen Bibliotheken, Archiven und privaten Besitzern für ihr freundliches Entgegenkommen bei der Benutzung der in ihrer Obhut befindlichen Handschriften und Drucke (siehe Kap. I).

54

Werke J. S. Bachs
a) nach BWV-Nummern

672	9, 15, 21, 24, 25, 27, 39
673	9, 21, 24, 25, 27, 39
674	9, 21, 24, 25, 27, 39
675	9, 14–16, 21, 24–27, 39
676	8–10, 14, 15, 18, 21, 22, 24–27, 34, 40
676 a	26, 27, 33, 34, 48–50
677	10, 21, 23–26, 40
678	8, 10, 15, 24–28, 33, 40, 41
679	10, 21, 23–27, 41
680	10, 15, 21–27, 41
681	10, 15, 21, 22, 24–27, 41, 42
682	8, 10, 18, 24–27, 33, 42
683	10, 21, 22, 24–27, 34, 42
683 a	20, 22, 25–27, 33, 34, 51–53
684	10, 14, 15, 18, 21, 23–25, 27, 42, 43
685	11, 21, 23, 25, 27, 43
686	8, 11, 15, 16, 18, 21, 25, 27, 28, 43
687	11, 14, 15, 21–23, 25, 27, 43, 44
688	11, 15, 21, 25, 27, 44
689	11, 15, 21–23, 25, 27, 28, 44
690	27
691	27
691 a	34
692	27
693	27
696	27
697	27
698	27
699	27
700	27
701	27
703	27
704	27
705	27
706	27
707	27
708	27
708 a	27
709	27
711	27
716	27
717	27

723	27
724	27
737	27
748	27
769	14
802–805	20, 21, 23, 27
802	11, 15, 25, 44
803	11, 14, 15, 22, 23, 44–46
804	11, 15, 25, 28, 45
805	11, 15, 22, 45
825–830	25, 27
825	23
826	23
827	23
846–869	24
870–893	12, 24, 31
879	34
886	34
898	27
903	27
904	27
907	27
908	27
910	27
911	27
913	27
914	22, 27
944	27
951	34
971	23
988	14, 23, 45
992	27
1080	13

b) nach Signaturen
  BB Mus. ms. Bach P

200:	13	285:	20
216:	20	287:	20
228:	20	424:	21
247:	20	427:	21
251:	20	506:	21
271:	12	521:	21
		566:	21
		616:	21

837: 21
1010: 21
1109: 22
1119: 22
1165: 22
BB Mus. ms.
30195: 22
30202: 22
30377: 22
30444: 22
BB Am. B.
45: 22
56: 23
113: 17
BB DMS
224676(3): 16
Berlin-Charlottenburg, Bibliothek der Musikhochschule:
Sp 1438: 25
Bologna, Civico Museo Bibliografico Musicale:
DD 69: 19
DD 77: 23
Boston/Mass. (USA), Public Library, Allen A. Brown Collection:
MS M 200.12: 23
Cambridge/Mass. (USA), Houghton Library at Harvard University:
54-1761: 17
Danzig, Stadtbibliothek (Biblioteka Miejska w Gdańsku):
Mus. ms. 4203/4204: 25
Frankfurt (Main), Mozartstiftung:
Sammlung Schelble-Gleichauf
Göttweig, Österreich, Musikarchiv des Benedictinerstifts:
Ms. J. S. Bach Nr. 35: 23
Ms. J. S. Bach Nr. 53: 23
's-Gravenhage, Gemeente Museum (Muziekbibliotheek D. F. Scheurleer):
Bach-Doos: 17
Leipzig, Bach-Archiv, Sammlung Gorke:

Go. S. 12: 24
Go. S. 27: 24
Go. S. 315: 24
Leipzig, Musikbibliothek der Stadt:
PM 1403: 24
Sammlung Becker III. 6. 15: 17
Sammlung Scheibner Ms. 2: 23 f.
Sammlung Mempell-Preller Ms. 7: 24
Sammlung Rudorff Ms. R 16: 24
Sammlung Pölitz Poel. mus. Ms. 355: 24
London, British Museum:
Sammlung Hirsch III. 39: 17
K. 10. a. 2.: 18
K. 10. a. 42.: 18
RM. 21. a. 9.: 24
Add. 35021: 12
München, Bayerische Staatsbibliothek:
4° Mus. pr. 28304: 18
New Haven / Connecticut (USA), Yale University Library:
Originaldruck des 3. Teils der Klavierübung: 18
Library of the School of Music, Sammlung Lowell-Mason: LM 4840: 25
Paris, Bibliothèque Nationale:
Rés. Vm^1 499: 19
Rochester/New York (USA), Sibley Music Library, Eastman School of Music, University of Rochester:
Vault: M 3.3 B 118c: 19
Washington, Library of Congress:
Music M 3.3. B Pt. 3: 19
Wien, Österreichische Nationalbibliothek:
SA. 82. F. 15: 19
Zürich, Zentralbibliothek:
Ms. Car. XV 241: 25
Privatsammlungen:
Anthony van Hoboken, Ascona (Schweiz): 19
Erwin R. Jacobi, Zürich (Schweiz): 19
Heinrich Sievers, Hannover: 19
Martin Wandersleb, Helmstedt: 25

Notenband

S. IX, linke Spalte, letztes System. Ergänze 6. Notenkopf: Halbe g′
S. 114 (Inhalt), linke Spalte, vorletzte Zeile: Lies BWV 675 statt 676; lies S. 30 statt 33